# de cuisine de Madame Chasse-taches

**De la même auteure**

*L'ABC des trucs de Madame Chasse-taches*, Les Éditions Publistar, 2005.

LOUISE ROBITAILLE

# de cuisine de Madame Chasse-taches

**Catalogage avant publication de Bibliothèque et Archives Canada**

Robitaille, Louise, 1948-

L'ABC des trucs de cuisine de madame Chasse-taches

(L'ABC des trucs)
Comprend un index.

ISBN-13 : 978-2-89562-173-7
ISBN-10 : 2-89562-173-X

1. Cuisine — Miscellanées. 2. Conseils pratiques, recettes, trucs, etc. I. Titre.
II. Collection : ABC des trucs.

TX652.R64 2006 641.5 C2006-941443-2

Éditrice : Annie Tonneau
Révision linguistique : Corinne De Vailly
Mise en pages : Édiscript
Graphisme de la couverture : Michel Denommée
Photos de l'auteure : Guy Beaupré
Illustrations : Patrik Roberge

Remerciements
Les Éditions Publistar reconnaissent l'aide financière du gouvernement du Canada par l'entremise du Programme d'aide au développement de l'industrie de l'édition (PADIÉ) pour ses activités d'édition. Nous remercions la Société de développement des entreprises culturelles du Québec (SODEC) du soutien accordé à notre programme de publication. Gouvernement du Québec – Programme de crédit d'impôt pour l'édition de livres – gestion SODEC.



Les Éditions Publistar
7, chemin Bates, Outremont (Québec) H2V 4V7
Téléphone : 514 849-5259
Télécopieur : 514 270-3515

**Distribution au Canada**
Messageries ADP
2315, rue de la Province
Longueuil (Québec) J4G 1G4
Téléphone : 450 640-1234
Sans frais : 1 800 771-302


Dépôt légal – Bibliothèque et Archives nationales du Québec, 2006
ISBN-13 : 978-2-89562-173-7
ISBN-10 : 2-89562-173-X

# Table des matières

Introduction ........ 9

Partie 1
Trucs et astuces en cuisine ........ 11

Partie 2
Une autre utilité… à vos produits ........ 163

Partie 3
Le vocabulaire culinaire simplifié ........ 223

Partie 4
Substituts et recettes rapides ........ 235

Index ........ 273

Merci à François,
Benoit et Mariève
qui ont su apprécier ma cuisine.
Pour la petite Charlotte,
afin que la tradition se poursuive,
voici les trucs de grand-maman.

# Introduction

Ce recueil de trucs et secrets vous permettra de cuisiner tout en évitant les petits pépins qui, souvent, nous découragent et limitent nos talents de cuisinier.

Ce livre n'a pas la prétention de représenter le savoir-faire des grands cuisiniers dans leur ampleur. J'ai rassemblé dans cet ouvrage tous les petits trucs recueillis auprès de ma famille, de mes amies et d'excellents cuisiniers. Astuces mises en pratique au fil des années.

La **première partie** du livre réunit des trucs et astuces transmis de mère en fille ; ils vous permettront d'élargir vos connaissances afin que la cuisine devienne une source de plaisir.

Dans la **deuxième partie**, vous découvrirez les multiples usages de plusieurs produits que vous trouvez dans votre garde-manger ou dans le réfrigérateur. Voilà une bonne façon d'utiliser votre système D pour faire disparaître les taches ou pour soulager les petits maux qui peuvent vous affliger.

La **troisième partie** vous apprendra à mieux saisir le langage culinaire employé dans la plupart des livres de recettes. Si vous vous questionnez sur une méthode de cuisson ou sur une expression inconnue, consultez ce lexique qui simplifiera la recette que vous vous apprêtez à cuisiner.

La **quatrième partie** est un véritable guide de dépannage. Vous savez à quel point il peut être frustrant de manquer d'ingrédients lors de la préparation d'une recette ! Sachez qu'il y a souvent moyen de se dépanner. Vous trouverez ici de bonnes idées de substitution et des recettes rapides pour préparer quelques produits que vous achetez habituellement tout faits.

Cet abécédaire vous permettra de trouver facilement la réponse à vos questions puisque le classement est fait en ordre alphabétique, selon la section du livre que vous consultez.

Bonne lecture, et surtout, j'espère que vous apprécierez ce livre qui vous servira de guide et vous dépannera avant que la panique envahisse votre cuisine.

Louise Robitaille

Madame Chasse-taches

Partie 1

# Trucs et astuces en cuisine

La cuisine est faite d'une multitude de petits trucs tant pour la préparation des mets que pour la conservation des produits.

Cette section regorge de trucs, d'astuces faciles et d'informations pratiques. Vous y trouverez des réponses rapides et claires à toutes vos questions.

## Ail

Les bulbes d'ail achetés en vrac se conservent bien sur le comptoir, dans un panier ou un pot aéré, mais jamais au réfrigérateur. Les tresses doivent être suspendues loin de la cuisinière, car l'humidité et la chaleur feraient moisir l'ail.

L'ail blanc se conserve jusqu'à six mois, et le violet jusqu'à un an, si on le range dans un endroit sec, légèrement aéré et à l'abri de la lumière.

Plus les gousses sont grosses, plus l'arôme est doux. Les petites gousses peuvent être amères et piquantes. En durcissant, les gousses perdent une partie de leur saveur. Utilisez donc des gousses fraîches et tendres.

Pour éplucher rapidement une gousse d'ail : écrasez-la avec le plat d'un couteau assez large. La peau s'enlève aisément et vous n'avez plus qu'à hacher.

Pour faciliter la coupe des gousses d'ail, il suffit de se mouiller les doigts et d'humecter le couteau avant de procéder. Vous éviterez ainsi que les morceaux d'ail collent aux mains et au couteau.

Ne laissez jamais brunir l'ail dans l'huile lorsque vous cuisinez ; la saveur du plat en serait altérée.

Si vous aimez le parfum de l'ail, mais n'aimez pas trouver des morceaux dans votre plat cuisiné, piquez les gousses sur un cure-dent. Vous pourrez ainsi les retirer avant de servir.

Pour répartir facilement l'ail dans les aliments, écrasez-le dans un peu de sel jusqu'à l'obtention d'une pâte que vous ajoutez à votre préparation culinaire.

Vous aimez le goût de l'ail dans votre omelette, mais vous avez de la difficulté à le digérer? Placez les œufs dans leurs coquilles dans un récipient plastifié qui ferme hermétiquement. Ajoutez une gousse d'ail épluchée. Laissez au réfrigérateur 24 heures et vous constaterez que les œufs auront un goût très subtil d'ail.

### Odeurs

L'odeur d'ail disparaîtra de vos mains si vous les frottez avec un quartier de citron, une tranche de tomate ou des grains de café. Vous pouvez aussi frotter vos mains contre un évier en acier inoxydable ou, sous l'eau, avec une cuillère métallique ou en acier.

## Amandes

Pour enlever facilement la peau qui les recouvre, faites-les tremper cinq minutes dans un bol d'eau bouillante.

On fait griller les amandes en les étalant sur une plaque de cuisson et en les déposant dans un four préchauffé à 180 °C (350 °F) pendant 10 minutes ou jusqu'à ce que leur couleur et leur arôme soient adéquats.

## Ananas

Pour choisir un ananas, ne vous fiez pas à sa couleur. Le jaune foncé ne signifie pas que le fruit est mûr et juteux. Examinez plutôt les écailles, qui idéalement, sont petites avec des nervures prononcées. Si vous détachez aisément de la couronne une feuille bien verte, cela indique que le fruit est mûr et sucré. De plus, l'ananas lourd par rapport à sa taille est plus juteux, et son parfum doit être léger. Un arôme trop prononcé est signe de fermentation. La moindre tache sur l'écorce est signe de fermentation, alors il vaut mieux le laisser au magasin.

Il est plus facile de trancher un ananas frais en premier et de le peler par la suite.

On ne peut ajouter de gélatine à ce fruit, car ses enzymes liquéfient la préparation et font même cailler le lait. Pour cuisiner un dessert, une tarte ou un gâteau à base d'ananas, utilisez plutôt des ananas cuits ou en conserve.

Lorsque vous apprêtez un ananas, portez une paire de gants pour le four. Vous éviterez ainsi de vous blesser en le coupant. Les gants favorisent également une meilleure prise.

## Anchois

On adoucit les anchois très salés en les faisant tremper dans du lait pendant 5 minutes avant de les utiliser. Séchez-les dans un essuie-tout avant de garnir votre plat.

Par contre, si vous achetez des anchois baignant dans l'huile d'olive, vous n'avez pas besoin de les dessaler.

## Aneth

Inutile de jeter le feuillage du bulbe d'aneth, car il se conserve très bien au réfrigérateur plusieurs jours dans un sac plastifié refermable. Vous pourrez l'utiliser pour aromatiser vos plats de poissons ou les salades.

## Artichaut

À l'achat, choisissez un artichaut ferme, sans taches. Un artichaut trop mûr est plus amer et son foin sera très abondant. On peut conserver les artichauts frais pendant une bonne semaine dans un bol d'eau légèrement sucrée au réfrigérateur. Coupez la tige un peu chaque jour.

Au réfrigérateur, évitez de déposer côte à côte les œufs et les artichauts, car ceux-ci peuvent liquéfier le blanc des œufs.

Avant de faire cuire des artichauts frais, cassez les queues au lieu de les couper. Cette méthode permet d'éliminer la partie fibreuse et amère présente dans le cœur et la queue.

Frottez immédiatement la chair de l'artichaut avec du jus de citron puisqu'elle noircit très rapidement.

Généralement, l'artichaut demande une cuisson de 45 minutes ou lorsque les feuilles se détachent facilement. Après la cuisson, les artichauts se conservent toujours au frigo. Après une journée, ils commenceront à s'oxyder ; il est donc préférable de les manger le plus tôt possible après la cuisson.

## Asperge

Voilà un légume délicat qu'il faut cuire de la bonne manière. Avant la cuisson, pliez les tiges au lieu de les couper. Ainsi, elles se briseront à la partie fibreuse.

Évitez le gaspillage et récupérez les tiges dures pour préparer un potage.

Pour bien retirer le sable des asperges, lavez-les dans une eau à laquelle vous aurez ajouté un filet de vinaigre (1 part de vinaigre pour 5 parts d'eau). Rincez bien.

Pour que les têtes d'asperges restent tendres sans être trop cuites, placez dans la casserole une boîte de conserve ouverte aux deux extrémités. Glissez-y les asperges, têtes vers le haut, elles tiendront ainsi bien droites. Mettez de l'eau bouillante jusqu'au bord de la boîte et faites cuire 5 minutes environ.

Couvrez ensuite les têtes avec du papier d'aluminium et prolongez la cuisson jusqu'à ce que les tiges soient tendres. Le temps de cuisson dépend de la grosseur des asperges. Pour maintenir les asperges en place dans la casserole, on peut aussi les ficeler ou utiliser une marguerite. On doit bien les égoutter après la cuisson sur un linge ou sur des essuie-tout.

Les asperges se cuisent aussi très bien au four. Il suffit de les déposer sur une plaque à cuisson, de les arroser d'huile d'olive, sel et poivre. Déposez la plaque dans le haut du four sous le gril pendant 6 à 8 minutes ou jusqu'à ce que les asperges soient bien tendres.

Comme elles se conservent mal une fois cuites, il est préférable de les consommer le plus tôt possible.

## Aspic

Pour faciliter le démoulage de l'aspic, rincez le moule à l'eau froide avant de le badigeonner d'une petite quantité d'huile végétale.

## Aubergine

L'aubergine est délicieuse quand elle est sucrée et ne contient pas trop de graines. Pour trouver l'aubergine idéale au supermarché, regardez-la par en dessous et vérifiez si la tache du milieu est bien ronde. Un légume moins sucré et chargé de graines montrera une tache ovale.

Avant de l'apprêter pour la cuisson, il est préférable de la faire dégorger en couvrant les tranches de gros sel, puis bien rincer.

## Avocat

Si un avocat n'est pas mûr, placez-le à côté des bananes ou des pommes sur le comptoir ou enveloppez-le de papier journal. La maturation en sera grandement accélérée.

Un avocat qu'on pique d'un bâtonnet aux extrémités mûrira en 48 heures.

Pour enlever facilement la peau d'un avocat, réchauffez-le quelques minutes dans vos mains. Pour enlever le noyau, piquez celui-ci avec la pointe du couteau et vous n'aurez aucune difficulté à le faire pivoter.

Pour éviter que la purée d'avocat noircisse, enfouissez le noyau dans le bol et recouvrez d'une pellicule plastifiée. Retirez le noyau au moment de servir.

## Bacon

Pour détacher facilement les tranches de bacon les unes des autres, avant d'ouvrir l'emballage, roulez le paquet entre vos mains en lui donnant la forme d'un tube. Les tranches se sépareront sans se défaire.

Faites tremper le bacon quelques minutes dans l'eau froide avant la cuisson. Il rétrécira moins rapidement, séchera moins vite et son goût sera plus fin.

Une petite incision le long d'une tranche de bacon l'empêche de s'enrouler lors de la cuisson.

Si vous le trouvez trop salé, faites-le tremper 3 ou 4 minutes dans un peu d'eau bouillante avant de le cuire.

## Bagel

Tranchez les bagels avant de les congeler. Dès la sortie du congélateur, vous pourrez les faire griller ; vous préparerez ainsi rapidement votre goûter.

## Bain-marie

Pour la cuisson au bain-marie, afin d'éviter que l'eau bouillonne et passe par-dessus le rebord, tapissez le fond de la casserole de quelques feuilles de papier journal ou d'une lavette. Cela absorbera les bulles du bouillonnement qui prennent naissance au fond du récipient.

Si vous craignez que l'eau dans la casserole inférieure réduise trop à votre insu, déposez dans le fond un couvercle de pot de confiture ; il vibrera quand il sera temps d'ajouter de l'eau.

Vous manquez de temps : ajoutez une poignée de gros sel à l'eau. Vous accélérez grandement la cuisson d'un plat au bain-marie.

## Banane

Si vos bananes sont trop mûres et que vous risquez de les perdre, glissez-les sans les peler au congélateur dans un sac refermable. Vous aurez toujours sous la main de la purée de banane pour préparer vos muffins et gâteaux.

On peut aussi peler les bananes et les mélanger à 250 ml (1 tasse) de sucre et à 5 ml (1 c. à thé) de jus de citron. Utilisez cette purée pour des crèmes ou des pains aux bananes.

Vous conserverez plus longtemps des bananes si vous les enveloppez dans du papier journal et les rangez au réfrigérateur. La pelure va noircir, mais l'intérieur de la banane cessera de mûrir.

Les bananes très mûres dont la peau est mouchetée de taches brunes sont plus faciles à digérer.

Des bananes vertes mûriront rapidement si vous les placez à côté d'une banane déjà mûre.

Si vous avez trop de bananes, épluchez-les, coupez-les en deux et enfilez-les sur un bâton de popsicle avant de les congeler. Vous pouvez même rouler la banane dans un mélange de miel, noix, brisures de chocolat. Vous obtiendrez ainsi une collation toute spéciale et rafraîchissante.

Comme la chair de la banane s'oxyde rapidement, il faut penser à la badigeonner de jus de citron avant de l'incorporer dans une salade de fruits, pour lui conserver sa belle couleur blanchâtre.

## Barbecue

Pour empêcher la viande de brûler, enlevez le plus de gras possible avant la cuisson. Pour l'empêcher de se déformer pendant la cuisson, il suffit d'en entailler le pourtour ou le gras visible.

Vous pouvez passer le poulet quelques minutes au four à micro-ondes afin qu'il perde une bonne quantité de gras avant de procéder à la cuisson sur le barbecue. Enlevez aussi la peau. Moins le gras tombera sur les briquettes, mieux vous vous porterez.

Si, en cours de cuisson, les flammes commencent à monter, retirez les morceaux de poulet de la grille, trempez-les dans une eau additionnée de gros sel et remettez-les à cuire. Cette méthode très ancienne permet de réussir de bonnes grillades.

Vaporisez les grilles d'enduit végétal pour que les viandes n'y adhèrent pas. Vous pouvez aussi les recouvrir d'une feuille de papier d'aluminium que vous percerez à quelques endroits pour permettre un écoulement plus facile du jus de cuisson.

Pensez à utiliser des pinces pour retourner les viandes. Il ne faut jamais planter une fourchette dans la viande, car vous en ferez sortir le jus et elle perdra ainsi sa tendreté. Il est préférable de ne retourner la viande qu'une seule fois et seulement lorsqu'elle se détache facilement de la grille.

Arrosez la viande en cours de cuisson pour l'empêcher de se dessécher. Salez en fin de cuisson, pour éviter la déshydratation.

Pour une cuisson uniforme de la viande hachée, qui doit être très bien cuite et non rosée ou saignante, pensez à préparer des galettes minces, d'une épaisseur uniforme et percez un trou en plein centre (comme un beigne). La cuisson sera ainsi sécuritaire. Retournez les galettes une fois seulement en cours de cuisson.

Pour des hot-dogs hors pair, enroulez une tranche de bacon autour de la saucisse que vous déposez sur le gril.

Un panier à grillades est efficace pour cuire les ailes de poulet et les saucisses ; il est plus facile de retourner un panier que chacune des pièces une à une en cours de cuisson.

Gardez à la portée de la main une bouteille d'eau avec vaporisateur pour réduire la chaleur ou éteindre un début d'incendie. En cas de flammes majeures, saupoudrez-les de bicarbonate de soude, utilisez un extincteur ou le boyau d'arrosage.

Utilisez des ustensiles à manche long, des gants de cuisson pour protéger vos mains, et retenez par une bande élastique les cheveux longs, qui peuvent s'enflammer rapidement.

## Basilic

Son odeur très parfumée est fort appréciée des gourmets. Cette fine herbe aromatise parfaitement les salades, les tomates, les omelettes, les pâtes, la soupe minestrone, le veau et le poisson.

Au jardin, le basilic est le parfait compagnon des plants de tomates. Plantez-en à proximité les uns des autres et pincez régulièrement l'extrémité des pousses pour éviter la floraison.

Le basilic se conserve très bien au congélateur dans de petits sacs refermables. Vous pouvez aussi en faire sécher un bouquet en le suspendant la tête en bas, dans un endroit sec et aéré, à l'abri de la lumière. Comme pour toutes les autres fines herbes, on peut faire sécher les feuilles de basilic dans un four chaud, doux. Conservez le basilic séché dans un pot de verre.

Préparez votre recette de pesto préférée et congelez-en dans un moule à glaçons pour obtenir des portions individuelles qui serviront à relever les plats de pâtes et les soupes.

## Béchamel

Il est facile de réussir une béchamel si vous mettez dans la casserole tous les ingrédients à froid (beurre coupé en morceaux, farine, lait, sel et poivre). Placez ensuite la casserole sur la cuisinière et mélangez le contenu au fouet jusqu'à ce que la sauce entre en ébullition.

Si vous préférez la méthode conventionnelle, versez le lait froid d'un seul coup. La sauce sera plus légère et sans grumeaux. Il est important de remuer la sauce continuellement. Lorsque la préparation atteint le point d'ébullition, retirez immédiatement la casserole du feu.

Si vous avez quelques grumeaux dans la sauce... pas de panique ! Versez la béchamel dans un mélangeur électrique. Quelques secousses, et la sauce aura la texture désirée.

## Betterave

Pour que les betteraves conservent leur belle couleur rouge, ne les pelez pas avant de les faire cuire. Ne coupez pas les tiges et la racine afin que les légumes conservent bien leur jus et leur coloration. Ajoutez un peu de jus de citron à l'eau de cuisson.

Pour faciliter l'épluchage, passez-les à l'eau froide sitôt la cuisson terminée.

Conservez les pots dans l'obscurité afin que les betteraves marinées ne se décolorent pas.

Ajoutez le jus de betterave des marinades à une salade de pâtes. En plus de la colorer, elle servira de base à la vinaigrette.

## Beurre

Pour récupérer un morceau de beurre devenu rance, plantez-y une carotte, préalablement coupée en deux dans le sens de la longueur. Le beurre retrouvera sa fraîcheur en moins de deux heures.

Saviez-vous que la congélation peut augmenter la salinité du beurre ? Vaut mieux congeler du beurre doux ou ne pas congeler le beurre plus de six mois. Il suffit de 10 à 20 secondes au four à micro-ondes pour ramollir le beurre trop dur.

Finis les doigts beurrés lorsque vous graissez un moule à pâtisserie. Glissez un morceau de beurre quelques secondes dans le four à micro-ondes pour qu'il fonde. Ensuite, badigeonnez le moule avec un pinceau.

## Beurre d'arachide

Le beurre d'arachide restera bien frais si vous rangez le pot à l'envers (couvercle vers le bas).

Si le beurre d'arachide est trop sec ou granuleux, ajoutez-y une cuillerée de miel liquide et faites-le ramollir en le réchauffant au four à micro-ondes de 5 à 10 secondes.

## Beurre liquéfié

Quand une recette demande du beurre liquéfié, vous devez mesurer la quantité voulue avant qu'il soit fondu et non après.

## Bicarbonate de soude

Versez une petite quantité de vinaigre ou de jus de citron dans une tasse et ajoutez une cuillerée de bicarbonate de soude. Si le mélange entre en effervescence, c'est que le bicarbonate est toujours actif ; vous pouvez l'utiliser dans votre recette.

Par contre, il ne faut jamais utiliser le bicarbonate de soude de la boîte que vous laissez ouverte dans le réfrigérateur pour absorber les odeurs. Cela donnerait un goût désagréable au pain ou à la pâtisserie que vous préparez.

Conservez le bicarbonate de soude dont vous vous servez pour vos recettes dans un placard, au sec, éloigné de la chaleur de la cuisinière.

## Bigorneaux

Si vous les servez en salade, faites-les tremper une heure dans du lait avant de les mariner.

## Biscuits

Quand vous faites des biscuits, n'utilisez pas de margarine légère ; les résultats ne seraient pas satisfaisants et vous seriez déçu. La margarine d'huile de maïs, non légère bien entendu, est le type de gras qui donne les biscuits les plus moelleux.

Le choix de la tôle est important pour obtenir des biscuits de couleur uniforme. La plaque à biscuits doit être épaisse, avoir un fini brillant et une couleur pâle. Les plaques foncées absorbent rapidement la chaleur et font brunir le dessous des pâtisseries.

Vous pouvez improviser une plaque à pâtisserie en recouvrant complètement une grille du four avec un papier d'aluminium. Vous pouvez réutiliser la plaque ainsi fabriquée, si vous prenez soin de la nettoyer avec un papier absorbant humide après usage.

Inutile de briser les biscuits collés à la plaque. Placez la plaque de cuisson sur un linge mouillé pendant 15 minutes. Vous n'aurez ensuite aucune difficulté à démouler vos biscuits.

Pour éviter ce problème, recouvrez la plaque à cuisson d'une feuille de papier parchemin. Le deuxième avantage de cette méthode est que vous n'aurez plus à graisser la plaque à biscuits. Ce papier peut être réutilisé pour une autre fournée sur une plaque refroidie.

En cas de désastre, vous pouvez récupérer les biscuits dont le dessous a brûlé : utilisez une râpe à fromage (du côté très fin) et râpez délicatement la surface noircie.

Déposez les biscuits frais dans une jarre ou dans une boîte. Glissez-y un morceau de pain. Les galettes sécheront beaucoup moins vite.

Par contre, pour éviter que les biscuits secs ramollissent, saupoudrez-les légèrement de sucre ou couvrez le fond de la boîte de papier absorbant.

Pour redonner du croquant à vos biscuits, passez-les cinq minutes au four.

## Biscuits soda (craquelins)

Les biscuits soda demeureront frais et croustillants plus longtemps si vous les conservez dans un contenant hermétique au réfrigérateur.

Si vous désirez rafraîchir des craquelins ramollis par l'humidité, déposez-les dans une assiette et passez-les au four à micro-ondes de 45 à 65 secondes, à la puissance maximale. Laissez reposer une minute avant de les ranger ou de les servir.

Il est facile de tartiner une biscotte sans la briser ! Vous n'avez qu'à la poser sur deux autres biscottes.

## Bœuf haché

On peut conserver le bœuf haché dans la partie la plus froide du réfrigérateur pendant deux jours au maximum. La durée de conservation d'un emballage ouvert est de courte durée. Au congélateur, cette denrée se conserve de deux à trois mois. Il est tout à fait normal que l'intérieur du bœuf haché soit plus foncé que le rouge vif de l'extérieur. Une fois la viande exposée à l'air, l'oxygène lui fera reprendre sa couleur rougeâtre.

Avant de manipuler de la viande hachée ou de la façonner en boulettes, mouillez bien vos mains. Le travail sera plus rapide, car la viande n'adhérera pas aux doigts.

Vous pouvez façonner les boulettes avec « une cuiller à boulettes », un ustensile qui ressemble à une double cuiller à melon dont on referme les deux demi-sphères l'une sur l'autre pour une former une petite boule.

Les emballages des supermarchés ne conviennent pas tous à la congélation : ils ne protègent pas la viande contre le dessèchement qui en altère la saveur. Déposez la viande dans un contenant hermétique en plastique ou dans un sac pour congélateur. Conservez l'étiquette du marchand afin de connaître la date de l'achat et le poids exact de la viande.

Si vous désirez congeler des boulettes de viande, déposez-les sur une plaque à biscuits et placez-les au congélateur. Lorsqu'elles seront bien congelées, vous n'aurez qu'à les mettre dans un grand contenant plastifié. Placez un papier ciré entre chacune. Elles ne colleront pas les unes aux autres.

Si vous faites décongeler la viande au four à micro-ondes, jetez-y de fréquents coups d'œil pour éviter la cuisson des contours. La décongélation au réfrigérateur demande plus de temps, mais est plus appropriée. Ne laissez pas traîner la viande sur le comptoir.

## Boisson gazeuse

Vous venez de laisser échapper par terre la cannette de boisson gazeuse que vous vous apprêtiez à ouvrir ? Vous n'avez qu'à caresser doucement pendant quelques secondes le fond du contenant avant de l'ouvrir. Aucune bulle ne vous éclaboussera.

Une bouteille d'eau gazéifiée déjà entamée conservera ses bulles plus longtemps si vous la refermez bien et la rangez la tête en bas.

## Bouillon

La méthode la plus conventionnelle pour dégraisser un bouillon est de le faire refroidir. Si le temps manque, ajoutez quelques glaçons. La graisse se solidifiera autour d'eux. Vous n'aurez qu'à les retirer au bout de quelques minutes. Vous pouvez aussi couvrir votre casserole avec une grande feuille de laitue. La graisse y adhère comme par magie.

Tout bouillon de viande ou de volaille se congèle très bien et peut servir de base pour la cuisson de plusieurs plats mijotés, des soupes, du riz ou des légumes.

## Boulettes de viande

Pour obtenir des boulettes de viande de grosseur égale lorsque vous préparez une sauce tomate à la viande, roulez le bœuf haché en un long boudin. Coupez la viande en tranches de même dimension, puis façonnez-la en boulettes égales.

## Bouquet garni

Vous pouvez remplacer les brindilles d'herbes nouées avec une ficelle par une boule à thé dans laquelle les herbes seront bien enfermées. Facile à récupérer dans la préparation, vous serez certaine de ne pas trouver dans votre assiette les brindilles qui se seraient détachées du bouquet.

## Brocoli

Pour accélérer la cuisson du brocoli, tracez un X à la base de la tige à l'aide d'un couteau, avant de le plonger dans l'eau bouillante.

Ne jetez pas le pied du brocoli. Coupé en dés, il pourra être intégré à une soupe ou un plat mijoté.

Pour éliminer l'odeur désagréable du brocoli qui cuit, ajoutez dans l'eau un carré de sucre ou un jet de jus de citron.

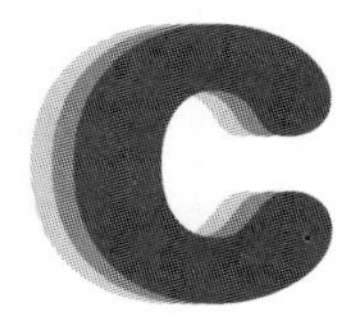

## Cacao

La poudre de cacao se conserve plus longtemps dans un contenant de verre, dans un endroit frais et sec.

## Café

Les grains entiers doivent être conservés dans un contenant métallique hermétique, à l'abri de la lumière. Le café non moulu peut être conservé au congélateur.

Il est préférable de moudre le café au dernier moment en fonction de la cafetière que vous utilisez.

Ajoutez une pincée de sel à votre mélange préféré pour en rehausser l'arôme.

Il est primordial de remplir la cafetière avec de l'eau froide. L'eau de source ou celle du robinet doit chauffer dans la cafetière, sans toutefois bouillir (sauf pour le café turc). Une eau trop chaude fait ressortir l'amertume du café et produit de l'acidité. Un café peut être réchauffé, mais pas bouilli ! Un vieil adage dit : « Café bouilli, café foutu… »

Il est important que la cafetière soit toujours bien propre. Si elle prend une odeur de renfermé parce que vous ne l'utilisez pas régulièrement, elle changera le goût du café. Placez un morceau de sucre à l'intérieur entre les utilisations et vous réglerez le problème.

Si vous découvrez dans l'armoire du café non moulu oublié, faites-le tremper dans un peu d'eau froide pendant une quinzaine de minutes et faites sécher les grains rapidement dans un poêlon sur le brûleur de la cuisinière.

## Canneberges

Pour utiliser moins de sucre au moment de la cuisson des canneberges, ajoutez 1 ml (¼ c. à thé) de bicarbonate de soude à la préparation. Le sucre est toutefois nécessaire pour adoucir le goût acide de la canneberge.

Un bâton de cannelle jeté dans l'eau de cuisson des canneberges fraîches relève leur saveur.

## Cantaloup

Un cantaloup mûr émet un son creux lorsqu'on le frappe avec la paume de la main. Ses extrémités sont légèrement ramollies sans être poreuses.

## Caramel

Pour réussir un bon caramel qui ne colle pas, ajoutez un filet de crème en fin de cuisson. Pour empêcher le caramel de cristalliser, ajoutez 5 ml (1 c. à thé) de vinaigre ou de jus de citron dès qu'il atteint la coloration souhaitée.

## Carotte

Les carottes nouvelles n'ont pas besoin d'être épluchées. Mettez-les dans un linge et frottez-les avec du gros sel. Rincez à l'eau froide.

Mélangez du miel au beurre pour caraméliser les carottes cuites. Saupoudrez celles-ci de muscade et servez.

## Carrés aux dattes

Pour que les carrés aux dattes ne s'égrainent pas, ajoutez tout simplement un œuf au mélange de flocons d'avoine.

## Cassonade

Lorsque la cassonade se présente en bloc rigide, déposez un quartier de pomme dans le sac. Fermez le sac et faites-le chauffer 30 secondes au four à micro-ondes. Retirez la pomme. La cassonade est maintenant prête à être utilisée.

Vous pouvez aussi déposer une tranche de pain sur le bloc de cassonade. Refermez le bocal. Quelques heures plus tard, la cassonade sera malléable.

## Céleri

Pour rendre le céleri croquant, déposez-le dans l'eau glacée et ajoutez une pomme de terre crue en tranches.

Ne jetez pas les feuilles de céleri. Faites-les sécher au four, après les avoir bien nettoyées. Conservez-les dans un bocal hermétique. C'est pratique pour assaisonner les potages, les soupes et les plats cuisinés.

Le céleri enveloppé de papier d'aluminium se conserve quelques semaines au réfrigérateur.

Si vous trouvez que le céleri a perdu sa fraîcheur, conservez-le à la verticale, le pied dans un pot d'eau.

## Champagne

Si le champagne a perdu son pétillant, épatez les convives en glissant un raisin sec au fond de la bouteille. Sans modifier le goût, le raisin lui redonnera son effervescence au bout de quelques minutes.

## Champignons

Idéalement, on devrait essuyer seulement les champignons avec un essuie-tout afin qu'ils ne se gorgent pas d'eau avant la cuisson. Si vous devez absolument les laver, utilisez une eau légèrement citronnée. Asséchez-les complètement avec quelques feuilles de papier absorbant.

Les champignons frais, en cuisant, peuvent détremper une pâte à pizza ou une omelette. Avant de les ajouter à votre recette, déposez-les sur une feuille de papier absorbant et faites-les chauffer une minute au four à micro-ondes. Vous constaterez qu'une bonne quantité d'eau s'évapore.

Comme les champignons perdent rapidement leur goût une fois intégrés à la recette, il serait bon de les ajouter au plat concocté au dernier moment.

Les champignons séchés retrouvent toute leur saveur si on les laisse tremper dans un peu d'eau pendant 20 minutes. Vous pouvez utiliser l'eau pour parfumer du riz, des pâtes ou une sauce.

Les champignons conserveront leur blancheur au cours de la cuisson si vous les aspergez d'un peu de jus de citron.

## Chapelure

La chapelure se conserve bien au congélateur. Rangez-la dans un sac de plastique fermé hermétiquement.

## Chocolat

Si vous préparez un dessert avec du chocolat fondu, ajoutez un peu de café noir à la préparation pour faire « exploser » le goût de chocolat.

Utilisez un bain-marie sur un feu doux pour faire fondre le chocolat. À défaut de bain-marie, une tasse en pyrex déposée dans une casserole d'eau chaude, mais non bouillante fera l'affaire. Coupez le chocolat finement pour qu'il fonde rapidement et uniformément. Attendez que le chocolat soit fondu pour le remuer ; il gardera ainsi son lustre et il ne se formera pas de petites bulles d'air impossibles de faire disparaître.

Vous pouvez conserver au congélateur les chocolats moulés de Pâques des enfants. Ils se conserveront facilement pendant deux mois. Au moment voulu, placez-les au réfrigérateur pour leur donner le temps de dégeler sans trop de risques d'humidité. Ils peuvent aussi servir à préparer une fondue qui sera des plus appréciées par toute la famille.

Pour conserver le chocolat fin, gardez-le dans un endroit frais et sec, car le chocolat craint l'humidité. La chaleur, l'exposition à trop de lumière, des mauvaises conditions de conservation provoqueront des traces blanches et, inévitablement, une perte de goût.

## Chocolat chaud

Si vous versez le lait directement sur le cacao, il se formera automatiquement des grumeaux. Mélangez d'abord le cacao au sucre, puis ajoutez une cuillerée de lait chaud. Délayez et ensuite versez le reste du lait.

## Chou

L'odeur du chou qui cuit est désagréable. Ajoutez quelques gouttes de vinaigre à l'eau de cuisson ou jetez une noix entière (avec la coquille) dans l'eau pour éliminer cette odeur.

On peut aussi déposer une tranche de pain sur le chou pendant qu'il cuit. Couvrez la casserole.

## Chou-fleur

Ce légume assez fragile commence à noircir après trois jours au réfrigérateur.

Pour un chou-fleur tout blanc, ajoutez un peu de lait à l'eau de cuisson.

## Ciboulette

Il est beaucoup plus facile de couper la ciboulette fraîche avec des ciseaux plutôt qu'au couteau. La ciboulette se conserve bien au congélateur dans un sac plastifié.

## Cigares au chou

Pour préparer les cigares au chou sans briser les feuilles, faites tremper le chou dans de l'eau bouillante pendant 20 minutes après en avoir enlevé le cœur.

Vous pouvez aussi placer le chou au congélateur avant de préparer votre recette. Faites dégeler le chou. Une fois décongelées, les feuilles sont molles, faciles à détacher et à manipuler.

## Citron

Un citron trop sec retrouvera sa fraîcheur si vous le laissez tremper quelques minutes dans un peu d'eau chaude.

En déposant les citrons et les oranges quelques secondes au four à micro-ondes avant de les presser, vous pourrez tirer le maximum de jus de ces agrumes. Vous pouvez aussi rouler le fruit sur le comptoir en le pressant légèrement de la main.

Si vous avez besoin de quelques gouttes de citron seulement, piquez-le avec une aiguille ou la pointe d'un bâton pour brochettes. Pressez le fruit pour obtenir la quantité désirée. Le trou se refermera ensuite, et votre citron restera bien frais.

Un citron donne environ 45 ml (3 c. à soupe) de jus et 15 ml (1 c. à soupe) de zeste.

Si vous n'utilisez qu'un quartier de citron, conservez le reste dans un contenant plastifié ou un sac hermétique ou congelez-le ; vous pourrez l'utiliser ultérieurement pour aromatiser rapidement une boisson.

## Citrouille

Vous pouvez faire sécher les graines au four, bien étalées sur une plaque à biscuits. Vaporisez-les d'huile et saupoudrez-les ensuite de sucre ou de sel, selon vos préférences. Généralement, 15 minutes au four à 160 °C (350 °F) suffisent pour leur donner une belle couleur dorée. Si vous préférez le four à micro-ondes, prévoyez de 2 à 4 minutes pour environ 125 ml (½ tasse) de graines dispersées dans un plat de verre.

## Concombres

Ne prenez pas la peine de peler les concombres frais. Lavez-les, essuyez-les et, avec les dents d'une fourchette, entaillez le concombre sur toute sa longueur, puis coupez-le en belles tranches.

Un concombre non pelé se digère mieux, car la pelure contient de la pepsine, une substance qui facilite la digestion.

Si vous avez des concombres en trop, vous pouvez les peler, les couper en dés après les avoir épépinés, et les congeler. À ajouter dans les soupes aux légumes.

Pour améliorer le goût de concombres trop amers, placez-les entiers, pelés, dans du sel, puis donnez-leur un bain de lait légèrement sucré pendant quelques minutes. Tranchez-les en rondelles. Ils sont prêts à être consommés.

Un concombre en rondelles recouvertes de sel pendant quelques heures et égouttées dans une passoire avant la consommation sera plus digeste, mais ne gardera pas son croquant.

Les concombres de serre sont plus digestes, car l'absence de pollinisation par les abeilles empêche les pépins de se développer. Si vos concombres ne viennent pas d'une serre et que vous digérez mal le concombre, il vaut mieux enlever tous les pépins avant de les consommer.

## Confiture

Enduisez de beurre le fond de la casserole de vos confitures ou marmelades maison, ainsi elles ne colleront pas et le sirop sera plus clair.

Si votre préparation de confiture maison est trop claire, voici comment remédier à la situation. À la fin de la cuisson, ajoutez quelques cuillerées de tapioca pendant que le mélange bouillonne encore. Calculez 10 ml (2 c. à thé) par pot de 125 g. Remuez bien et laissez reposer le mélange avant de le verser dans les bocaux stérilisés.

Il est important de retirer toutes les bulles d'air avant de fermer le bocal. Vous pouvez frapper fermement le pot sur une surface rembourrée ou faites-le pivoter rapidement. Au besoin, placez une spatule de caoutchouc entre le verre et le contenu pour libérer les bulles d'air.

Il peut arriver qu'une fine couche de mousse blanchâtre se forme sur les confitures. Pour éviter ce problème, recouvrez le dessus de la confiture avec du sucre blanc et fermez le pot hermétiquement. La préparation se conservera indéfiniment.

## Congélateur

Si vous pensez que votre appareil n'est plus efficace, vérifiez-en l'étanchéité. Voici un truc très simple. Fermez la porte du congélateur sur une feuille de papier. Essayez ensuite de la tirer. Si la feuille glisse et que vous la retirez sans trop de difficulté, il vous faudra ajuster la porte ou remplacer le joint en caoutchouc.

## Congélation

Ces aliments supportent mal la congélation :

- les œufs durs
- les mayonnaises et sauces à salade
- les fromages à pâte molle qui deviennent farineux

- le yogourt maison
- les desserts au lait et à la gélatine
- les laitues, concombres, céleri, oignons, radis, champignons,
- les aliments chauds. Ils pourraient endommager les autres aliments dans le congélateur
- un aliment périmé. Au moment de la décongélation, les microbes endormis se réveilleront.

## Conservation dans votre garde-manger

| | |
|---|---|
| Beurre d'arachide* | 2 mois |
| Bicarbonate de soude | 1 an |
| Cacao | de 10 à 12 mois |
| Café instantané | 1 an |
| Café moulu* | 1 semaine, sinon congeler |
| Céréales de type granola | 6 mois |

| | |
|---|---|
| Céréales prêtes à servir | 8 mois |
| Chapelure sèche | 3 mois |
| Chocolat à cuisson | 7 mois |
| Confitures et gelées | 1 an |
| Conserves | 1 an |
| Craquelins | 6 mois |
| Croustilles de pommes de terre* | 1 semaine |
| Farine de blé entier | 6 semaines |
| Farine de maïs | 6 mois |
| Farine enrichie | 2 ans |
| Fines herbes séchées | 1 an |
| Fruits séchés | 1 an |
| Gélatine, pectine liquide | 1 an |
| Gelée en poudre | 2 ans |
| Flocons d'avoine | de 6 à 10 mois |
| Huile végétale | 1 an |
| Lait concentré en conserve | de 9 à 12 mois |
| Lait concentré sucré en conserve | 6 mois |
| Lait écrémé en poudre* | 1 mois |
| Levure chimique (poudre à pâte) | 1 an |
| Préparation pour gâteau | 1 an |
| Préparation pour crème-dessert | 18 mois |
| Mélasse | 2 ans |
| Miel | 18 mois |
| Moutarde sèche | 3 ans |
| Olives | 1 an |
| Pâtes alimentaires sèches | 1 an |
| Pâtes alimentaires aux œufs | 6 mois |
| Riz blanc | 1 an |
| Riz entier | 2 mois |
| Sirop d'érable, de maïs | 1 an |

| | |
|---|---|
| Sucre | 2 ans |
| Thé | 6 mois à 1 an |
| Vinaigre | 2 ans |

*Les durées de conservation de ces aliments s'appliquent une fois que les contenants ont été ouverts.

## Conserves

N'utilisez pas de vieux pots de confitures et de marinades. Employez des récipients spécialement conçus pour la mise en conserve, et n'oubliez pas que les joints d'étanchéité ne peuvent être réutilisés.

N'entreposez pas vos conserves dans un endroit chaud, humide et éclairé par les rayons du soleil, mais plutôt en un lieu frais, sec et à l'abri de la lumière. Ainsi, vous pourrez les conserver pendant un an avant ouverture. Identifiez bien vos pots et indiquez-y la date de la mise en conserve ; cela vous évitera des surprises malodorantes au moment de l'ouverture.

## Contenants plastifiés

Avez-vous déjà vécu cette situation ? Vous ouvrez la porte de votre armoire et les contenants plastifiés dégringolent…

Voici un bon truc pour y remédier : équipez-vous de paniers d'osier ou plastifiés. Rangez les contenants dans le plus grand panier et tous les couvercles alignés dans le plus petit panier. Ces grands récipients deviennent des tiroirs qui vous évitent des tracas.

Le soleil enlève les taches de sauce tomate sur les spatules, les assiettes et les contenants de plastique.

Lavez-les dans une eau chaude savonneuse. Rincez-les et déposez-les au soleil. Les taches disparaîtront en peu de temps.

## Cornichons

Un morceau de raifort mis dans le bocal de cornichons empêche que le vinaigre perde sa puissance. Ainsi, les cornichons ne deviendront pas mous et ne moisiront pas.

## Coulis décoratif

Dans un mélangeur, mettez une bonne poignée de persil, un filet d'huile végétale et 10 petits cubes de glace (ou 5 gros). Cette émulsion servira à garnir vos plats et à décorer le rebord d'une assiette. Pour varier les saveurs et pour obtenir des plats colorés, il suffit de remplacer le persil par autre chose, comme des poivrons rouges.

## Courge spaghetti

Excellent substitut des pâtes en la servant avec une sauce tomate, voici les meilleures façons de cuire ce légume.

Il n'est pas conseillé de faire bouillir la courge spaghetti, car son goût serait affadi par le surplus d'eau. Toutefois, si vous désirez faire cuire la courge sur la cuisinière, utilisez un bain-marie ou une casserole contenant peu d'eau. Le temps de cuisson sera d'environ 40 minutes.

**Cuisson au four :** coupée en deux sur la longueur, il suffit d'enlever les graines et de la faire cuire à

180 °C (350 °F) de 30 à 45 minutes, jusqu'à ce que la chair se détache comme du spaghetti.

**Cuisson au four à micro-ondes :** placez la courge dans un plat et percez-en toute la surface avec une fourchette. Faites cuire 6 minutes à intensité maximale ou jusqu'à ce que la peau ramollisse légèrement. Tourner la courge une fois en cours de cuisson. Laisser reposer 2 minutes avant de la couper en deux et de retirer les graines. Faire cuire de nouveau à intensité maximale de 10 à 14 minutes, en prenant soin de recouvrir le plat d'une pellicule plastique dont on relève un des coins. Tourner la courge une fois en cours de cuisson. Laisser reposer 2 minutes avant de retirer la chair avec une cuillère.

## Courgette

La courgette étant peu calorique, elle est idéale dans les régimes amaigrissants. Achetez-la petite et vous n'aurez pas à enlever la pelure. Une courgette n'ayant pas atteint son plein développement est encore meilleure.

Pour conserver les vitamines de la courgette un peu plus charnue, rincez-la en frottant et épluchez-la dans le sens de la longueur en ruban, une fois sur deux. Une courgette sera plus digeste si la peau est retirée.

Les fleurs de courgette se dégustent en beignets ou farcies. Vous pouvez aussi les faire revenir tout simplement avec un peu de beurre dans un poêlon chaud.

## Craquelins

Si vous devez tartiner plusieurs craquelins de pâté ou de fromage et que vous craignez de les briser, déposez-les sur une tranche de pain et étendez la préparation. Surprise... ils ne s'émietteront pas.

## Crème anglaise

Le secret d'une bonne crème anglaise consiste à verser très lentement le lait bouillant sur les jaunes d'œufs et le sucre, qui ont été blanchis.

Si vous avez l'habitude de rater la préparation de cette crème, vous pouvez essayer ce truc. Ajoutez 5 ml (1 c. à thé) de farine avant de battre les œufs. On ne parle plus d'une crème anglaise authentique, mais celle-ci supportera l'ébullition sans problème, et le goût n'en sera pas altéré.

Si vous dépistez quelques grumeaux dans votre crème anglaise, versez la préparation dans une bouteille plastifiée. Laissez-la refroidir, puis secouez énergiquement le contenant.

## Crème de beurre

Lorsque vous combinez du sucre et du beurre, réchauffez légèrement le bol dans le four à micro-ondes. Mettez-y le beurre, puis tamisez le sucre sur le dessus. Battez, et en quelques secondes vous obtiendrez un mélange onctueux.

## Crème de tartre

Vous connaissez cette petite boîte carrée que vous achetez au supermarché et dont certaines recettes demandent une pincée. Mieux connu sous le nom de crème de tartre, le bitartrate de potassium est une poudre cristalline blanche, sans odeur, à saveur acidulée. Elle est utilisée pour stabiliser les blancs d'œufs d'une meringue, d'un soufflé et sert de levure dans la préparation des biscuits et en pâtisserie, elle empêche la cristallisation du sucre dans la confiserie.

Conservée dans un emballage hermétique, à l'abri de l'humidité, la crème de tartre ne s'altère pas avec le temps. Achetée en vrac, le coût est drôlement réduit si on le compare au prix des petites bouteilles cartonnées ou métallisées.

## Crème 15 %

Au comptoir de l'épicerie, si vous hésitez entre la crème de table à 15 % et la crème à cuisson à 15 %, sachez que la différence entre les deux est minime. La crème à cuisson contient des stabilisants qui lui permettent de mieux supporter la chaleur au cours de la préparation. Par contre, la crème de table contient tout à fait aux potages ou aux sauces, puisque la crème est incorporée en fin de cuisson.

Dans les livres européens, lorsqu'on parle de crème fleurette, c'est l'équivalent de notre crème 15 %.

## Crème 35 %

Vous n'aurez aucune difficulté à réussir une crème chantilly ou une crème fouettée si vous placez les batteurs et le bol au congélateur pendant une dizaine de minutes ou une heure au réfrigérateur, avant de battre la crème.

Montez la crème, dans un bol métallique, si possible, car le métal est un meilleur conducteur du froid, à vitesse réduite afin qu'elle devienne mousseuse. Au moment où elle commence à épaissir, augmentez la vitesse du batteur et ajoutez graduellement le sucre. Peu à peu, la crème perd son lustre et devient mate, et des sillons se dessinent dans celle-ci. Votre chantilly est prête. On peut la parfumer avec un soupçon de vanille.

Sucrez la crème fouettée avec du miel, elle restera ferme et onctueuse plus longtemps.

Pour fouetter une infime quantité de crème, utilisez un petit contenant, comme une tasse à mesurer en pyrex, et un seul fouet.

Ne jetez pas les restes de crème fouettée. Faites-en de petites rosettes, que vous gardez au congélateur. Elles décoreront les mousses et les gelées au cours des prochaines semaines.

Dans une recette, on mesure la crème après l'avoir fouettée.

Souvenez-vous que la crème ne supporte pas l'ébullition. Donc, ajoutez-la en fin de cuisson. Bien entendu, il faut éviter de la mettre en contact avec du jus de citron ou du vinaigre.

Préparez rapidement une sauce rosée à servir avec des pâtes en utilisant de la crème épaisse à 35 %. Mélangez-en quelques cuillerées à la sauce tomate en fin de cuisson, vous obtenez une sauce de la couleur désirée avec toutes les saveurs de votre sauce tomate.

## Crème glacée

Il se forme des cristaux peu invitants sur la crème glacée lorsqu'elle est recongelée après l'ouverture du pot. Pour empêcher que la qualité du produit s'altère, couvrez la crème glacée d'une feuille de papier ciré que vous pressez avec la main, puisque c'est l'air qui est responsable de la formation des cristaux. Refermez le pot et remettez-le au congélateur.

Pour que votre crème glacée retrouve sa texture originale lorsqu'elle est partiellement dégelée, remuez-la une ou deux fois avant de la recongeler.

Pour une meilleure prise, rincez votre cuiller à crème glacée à l'eau chaude avant de vous en servir.

Si la crème glacée servie en cornet aux enfants fond trop rapidement, déposez quelques guimauves miniatures au fond des cônes. Elles absorberont la crème glacée fondante.

**À éviter :** après avoir mangé des fruits de mer, évitez la crème glacée qui peut causer des crampes d'estomac ou des maux de ventre.

## Crêpes

Pour des crêpes légères, ajoutez environ 75 ml (⅓ tasse) de bière à votre pâte. En plus d'être plus légères, elles seront plus croustillantes.

Si la pâte à crêpes fait des grumeaux, passez-la dans un chinois en la foulant bien.

La pâte ne doit pas être trop liquide ; elle doit avoir une consistance crémeuse. Pour vérifier si c'est le cas, trempez-y la louche et passez votre doigt sur le dos de celle-ci. La trace doit être bien nette.

Vous devez réfrigérer le mélange au moins 1 heure avant la cuisson. Vous manquez de temps ? Faites bouillir votre lait, laissez-le tiédir et ajoutez-le à votre mélange.

Pour faire cuire des crêpes qui ne colleront pas, frottez le fond de la poêle avec une pomme de terre crue au lieu de l'enduire d'un corps gras.

L'idéal serait de réserver une poêle spécialement pour les crêpes, que vous nettoyez bien entre chaque utilisation.

La face qui cuit en premier est celle qu'on devra voir lorsque vous roulerez ou plierez la crêpe.

Pour des crêpes dessert moelleuses, ajoutez 30 ml (2 c. à soupe) de miel liquide à la pâte.

Les crêpes se conservent facilement pendant quatre jours au frigo, dans un contenant hermétique. Elles se conservent même quelques semaines au congélateur. Il est préférable de les réchauffer au four conventionnel ou dans un poêlon, car le micro-ondes pourrait les dessécher.

## Crevettes

À l'œil, la carapace des crevettes doit être luisante et les crustacés ne doivent pas rester collés les uns aux autres. Une crevette fraîche dégage une odeur d'algue et non d'ammoniac. Elle possède un corps ferme et se décortique facilement. Moins fraîche, sa chair est plus coriace et le décorticage sera plus difficile.

Si vous les achetez congelées, elles doivent être exemptes de givre et ne doivent montrer aucun signe de dessèchement. Il est préférable de les laisser décongeler lentement au réfrigérateur.

Par contre, il est plus facile de décortiquer une crevette si elle est légèrement congelée. Pour retirer facilement l'intestin situé sur le dos de la crevette, glissez la pointe d'un couteau parallèlement à la veine.

Une cuisson de 3 à 5 minutes suffit pour leur faire perdre leur couleur grisâtre et leur donner une belle teinte rosée. Ces crustacés doivent être passés sous l'eau froide pour interrompre la cuisson.

Pour obtenir des crevettes très rosées, ajoutez quelques pelures d'oignon à l'eau de cuisson.

On peut conserver les crevettes fraîches ou cuites, environ deux jours au réfrigérateur, tandis que les crevettes achetées congelées se gardent au congélateur pendant un mois dans un contenant fermé hermétiquement.

## Croissant

Si les croissants sont devenus secs, passez-les quelques minutes dans un four tiède, en prenant soin de bien les envelopper de papier de soie humide.

## Croustilles

Rafraîchissez les croustilles en les déposant dans une assiette que vous placez au four à micro-ondes de 45 à 60 secondes à puissance maximale. Laissez reposer une minute avant de servir.

## Crudités

Les légumes servis en crudités doivent être frais et croquants. Conservez-les dans un bol d'eau froide, dans lequel vous aurez versé 15 ml (1 c. à soupe) de vinaigre. Égouttez les crudités dans un linge, puis déposez-les sur un plateau peu de temps avant de servir.

## Cuisson adéquate

Les températures ci-dessous indiquent le degré de chaleur recommandé que doivent atteindre les viandes cuites au barbecue, au four ou sur la cuisinière, afin de rester sains. En vérifiant la température interne de la viande, vous vous éviterez bien des embêtements.

| | |
|---|---|
| Viande hachée de bœuf ou de porc | 160 °F – 71 °C |
| Viande hachée de dindon ou de poulet | 175 °F – 80 °C |
| Steak ou rôti de bœuf, agneau, veau (selon la cuisson désirée : Saignant, à point ou bien cuit) | 140 °F – 60 °C et 170 °F – 77 °C |
| Rôti ou steak roulé (viande attendrie) | 160 °F – 71 °C |
| Côtelette ou rôti de porc, jambon frais ou fumé | 160 °F – 71 °C |
| Jambon cuit, prêt à servir | 140 °F – 77 °C |
| Dindon entier avec farce | 165 °F – 74 °C |
| Morceau de poulet ou de dindon | 170 °C – 77 °C |
| Plats à base d'œufs et mets en casserole | 160 °F – 71 °C |

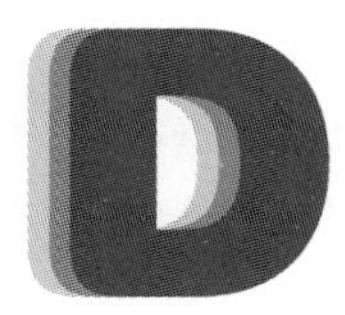

## Décongélation

La façon la plus sécuritaire est sans contredit de décongeler les aliments au réfrigérateur à 4 °C ou moins.

On peut aussi placer l'aliment dans un sac de plastique ou un contenant étanche et le décongeler sous l'eau froide courante.

La décongélation au four à micro-ondes doit être immédiatement suivie de la cuisson de l'aliment.

On peut cuire et décongeler dans le four en même temps.

Souvenez-vous... il est primordial de ne pas laisser décongeler les aliments à la température de la pièce. Les parties de l'aliment qui décongèlent le plus rapidement seraient exposées trop longtemps à des températures propices à la multiplication des bactéries qui peuvent causer une intoxication alimentaire.

## Démoulage

Vous n'aurez aucune difficulté à démouler un gâteau en plaçant le moule sur un linge préalablement imbibé d'eau froide. Attendez quelques minutes avant de démouler le gâteau, qui glissera alors très facilement.

Pas toujours facile de démouler les préparations faites dans un moule décoratif. Le meilleur truc pour réussir une préparation qui ne demande pas de cuisson est de recouvrir l'intérieur du moule d'une pellicule plastique, que vous faites bien adhérer au moule. Tirez sur le plastique, et le démoulage se fera sans aucun problème.

## Dindon

Pour un dindon bien juteux, une fois la cuisson terminée, recouvrez-le d'un papier d'aluminium et attendez 30 minutes avant de trancher la viande.

Pendant la cuisson, arrosez fréquemment avec un mélange constitué de 500 ml (2 tasses) d'eau et de 60 ml (¼ tasse) de miel.

Si vous désirez faire cuire votre dindon la veille d'une réception, après la cuisson, tranchez-le et ajoutez quelques cuillerées du jus de cuisson avant de l'envelopper de papier d'aluminium. Le lendemain, faites réchauffer vos papillotes à feu très bas et ouvrez le papier d'aluminium seulement au moment du service.

Avant de farcir un dindon, recouvrez l'intérieur de la carcasse avec une étamine (coton à fromage). Lorsque le dindon sera cuit, il vous sera facile de retirer la farce sans y retrouver de petits os.

Au réfrigérateur, le dindon frais se conserve deux ou trois jours. Le dindon cuit, quant à lui, peut se conserver jusqu'à quatre jours en gardant toute sa saveur.

Au congélateur, les découpes de dindon cuit se conservent de un à trois mois, mais crues le temps de conservation double pour avoisiner le cap des six mois.

## Endive

Il est préférable de consommer les endives le plus tôt possible après l'achat. La lumière affecte le goût de ces végétaux en favorisant le développement de la chlorophylle, ce qui les rend amères. En supermarché, on trouve souvent les endives recouvertes d'un papier bleu qui les protège de la lumière. À la maison, enveloppez-les d'une feuille de papier journal ou dans un linge et conservez-les dans le bac à légumes.

Pour adoucir l'amertume des endives consommées crues, retirez le petit cône à la base où les substances amères sont concentrées. Il n'est pas nécessaire de laver les endives, d'autant plus que l'eau a tendance à augmenter leur amertume.

Par ailleurs, si vous les faites cuire, ajoutez une pincée de sucre à votre préparation. Sautée au beurre ou gratinée, l'endive est un excellent légume d'accompagnement.

## Épices

Pour parfumer un plat avec des herbes sans les retrouver dans la sauce, mettez-les dans une boule à thé que vous retirerez à la fin de la cuisson.

Évitez de conserver vos épices près de la cuisinière. La chaleur et la lumière altèrent leur saveur. Rangez-les en ordre alphabétique. Il sera plus facile de les retrouver.

## Épinards

À l'achat, choisissez des feuilles vert foncé, tendres et fermes. Éliminez les feuilles ternes, dont les tiges sont épaisses, jaunies, trop dures ou ramollies.

Rangez les épinards au réfrigérateur, et ce, dès votre arrivée à la maison.

Avant de les consommer, vous devez les laver à fond sous l'eau froide ou dans un évier rempli d'eau froide puisqu'ils contiennent souvent une bonne quantité de sable. Profitez de ce moment pour couper les tiges trop grosses.

Il n'est pas nécessaire d'ajouter d'eau dans la casserole lorsque vous faites cuire des épinards. L'eau qui reste sur les feuilles après les avoir lavées est suffisante. Ne recouvrez pas la casserole afin que les légumes conservent leur belle couleur. Souvenez-vous que des épinards trop cuits deviennent d'un vert très foncé.

## Farce

Pour que le mélange de viande dont vous aurez farci vos pâtes alimentaires ne s'émiette pas, ajoutez-y un œuf battu.

## Farine

Conservez la farine dans un endroit frais, sombre et sec. À l'achat d'un nouveau sac, n'en mélangez pas le contenu avec de la farine plus ancienne. Elle pourrait dégager une odeur rance très rapidement.

Une farine qui contient des parasites ou qui dégage une odeur rance doit être jetée.

## Fécule de maïs

Versez la fécule de maïs dans une salière. Vous pourrez saupoudrer vos sauces sans craindre d'y voir apparaître des grumeaux indésirables.

## Feuilles de nori

Les amateurs de sushis maison pourront conserver les feuilles non utilisées dans un contenant fermé hermétiquement dans un endroit frais, à l'abri de la lumière, ou tout simplement dans le congélateur.

## Fèves au lard

Si vous avez oublié de faire tremper les fèves toute la nuit précédant la préparation de votre plat, couvrez-les d'eau, portez à ébullition et laissez mijoter deux minutes à feu doux. Laissez reposer les fèves une heure seulement, et elles seront prêtes à être utilisées dans votre recette. N'oubliez pas d'ajouter à l'eau une pincée de moutarde sèche : vous éviterez ainsi les ballonnements qu'on éprouve parfois quand on mange cet aliment riche en fibres.

## Fèves germées

Les fèves germées ont tendance à ramollir rapidement. Retirez-les du sac plastifié, rincez-les et conservez-les dans un bol d'eau froide. Changez l'eau tous les jours, et les fèves resteront bien fermes.

## Fines herbes

Pour ne pas perdre vos herbes fraîches, coupez-les finement avec des ciseaux. Versez-les dans un moule à glaçons et couvrez-les d'eau. Laissez congeler. Lorsque les cubes sont bien gelés, glissez-les dans un sac refermable. Utilisez le nombre de glaçons désiré pour la préparation de soupes ou de plats cuisinés.

Vous pouvez aussi faire sécher vos herbes dans un endroit aéré, à l'ombre ou dans un four à peine chaud.

Ensuite, vous les conserverez dans des récipients de verre, à l'abri des rayons du soleil, dans une armoire où la température est fraîche et sèche. Durée de conservation : 6 mois.

Si vous préférez les faire sécher au four à micro-ondes, étalez les herbes entre deux feuilles de papier essuie-tout. À température maximale, 1 minute devrait suffire à les assécher. Si les herbes sont encore humides, faites-les sécher de nouveau en limitant le temps à 20 secondes entre chaque vérification.

## Fleurs comestibles

Vous pouvez décorer joliment une assiette à dessert avec des pétales de rose ou des fleurs comestibles. Trempez-les dans un blanc d'œuf monté en neige et saupoudrez-les de sucre glace ou de sucre granulé fin. Laissez-les sécher sur une feuille de papier ciré.

## Foie de bœuf

Pour attendrir le foie de bœuf, plus coriace que le foie de veau, faites-le tremper dans du lait et réfrigérez-le durant 2 heures avant de le faire cuire.

## Foie de veau

Généralement, le foie de veau n'a pas besoin d'être attendri. Si vous le trouvez coriace, faites-le tremper dans un peu de lait, une heure avant de le cuire.

Il n'est pas nécessaire d'enfariner le foie avant de le mettre dans la poêle. Si vous saisissez le foie de veau dans un poêlon trop chaud, il se recroquevillera. Faites-le cuire à feu moyen dans une huile quasiment fumante.

## Fondue

Pour la préparation de la fondue au fromage, il est essentiel d'utiliser un bon caquelon résistant à la chaleur. Les récipients en fonte émaillée sont les meilleurs. Ceux qui sont traités au téflon sont aussi pratiques, mais attention de ne pas les égratigner avec les pointes des fourchettes.

Un bon choix de fromage fera le succès de votre fondue et on suit religieusement les trois étapes recommandées :

1. Badigeonnez le caquelon avec une gousse d'ail coupée en deux ;
2. Faites chauffer le vin blanc et laissez le frémir.
3. Ajoutez petit à petit le fromage râpé, que vous avez préalablement saupoudré de farine. Certains recommandent de faire des mouvements en forme de croix en remuant, jusqu'à ce que le mélange soit bien homogène.

Si la fondue est trop épaisse, y ajouter un peu de vin blanc en remuant constamment. Si elle est trop liquide, y ajouter un peu de fécule de maïs délayée dans du vin blanc ou un peu plus de fromage râpé.

La fondue terminée, une croûte subsiste au fond du caquelon, qu'on appelle « la religieuse ». Décollez-la à l'aide d'une spatule et partagez cette gourmandise entre convives.

## Fondue au chocolat

Ce dessert est facile à réaliser. Généralement, on fait fondre un mélange de chocolat noir et au lait. Ajoutez ensuite environ 125 ml (½ tasse) de crème à 35 %. Aromatisez de votre liqueur préférée : amaretto, brandy, porto, kirsch, etc.

Le plateau de fruits traditionnel accompagne la fondue au chocolat.

Ajoutez quelques variantes qui seront appréciées de vos invités :

- Demi-macarons
- Biscotti ou morceaux de gâteau en cubes
- Fruits secs, raisins, abricots, noix
- Guimauves, morceaux de tire éponge et maïs soufflé.

## Fondue chinoise

Très populaire, la fondue chinoise permet la dégustation de différents types de viandes et de gibiers.

Récupérez le bouillon de cuisson et servez-vous-en pour préparer une soupe des plus appétissantes et parfumées pour le lendemain.

## Four à micro-ondes

Souvenez-vous qu'un contenant rond permet une meilleure répartition de la chaleur. Mon préféré ? La tasse à mesurer de 1 litre (4 tasses) en pyrex, avec anse et bec verseur. Comme elle est très facile à manier, elle vous permet d'éviter les dégâts au moment de sortir les aliments du four et de servir.

## Fraises

Si vous avez la chance de cueillir vous-même vos fraises, prenez celles qui sont d'un beau rouge brillant. Évitez les fruits présentant des parties blanches ou vertes, car les fraises ne mûrissent pas après la cueillette.

De retour à la maison, ne laissez pas les fraises entassées dans les contenants. Recouvrez le fond d'un grand bol avec un essuie-tout. Étalez les fraises et recouvrez ensuite le bol d'un autre essuie-tout. Le surplus d'humidité sera absorbé par le papier et les fruits se conserveront un peu plus longtemps au réfrigérateur.

Lavez les fraises avant de les équeuter pour éviter qu'elles se gorgent d'eau. Placez-les dans une grande passoire, que vous plongerez à quelques reprises dans un bassin d'eau. Égouttez-les.

Pour relever le goût des fraises, ajoutez un filet de jus de citron ou tout simplement une pincée de poivre avant de les servir en coupe.

**Congélation**

Pour les congeler, placez-les entières sur une plaque à biscuits, que vous déposerez dans le congélateur. Attendez quelques heures afin qu'elles soient bien congelées. Glissez-les ensuite dans des sacs conçus pour la congélation.

Au lieu de les jeter à la poubelle, vous pouvez récupérer des fraises trop mûres en les congelant. Lorsqu'elles sont bien congelées, sortez-les du congélateur et faites-les dégeler dans un chinois ou une passoire. Vous ne pourrez pas les manger telles quelles, mais le jus récupéré, très sucré, servira à la confection de pâtisseries, pour aromatiser une crème glacée à la vanille ou vos boissons.

## Framboises

Si vous prévoyez vous-même cueillir vos framboises, partez tôt le matin. Vos fruits seront plus fermes, plus sucrés, et vous les conserverez plus longtemps. Dans la voiture, couvrez ces fruits fragiles pour éviter le soleil direct et ne les placez pas dans le coffre de l'auto qui est beaucoup trop chaud.

Comme les framboises sont rapidement périssables, ne les laissez pas à la température de la pièce. Mettez-les au froid le plus tôt possible ; elles se conserveront aisément deux jours au frigo. Au moment de les manger, sortez-les du réfrigérateur à la dernière minute et lavez-les délicatement.

Si vous préparez un coulis de framboises, filtrez-le dans un tamis ; vous éliminerez les graines, si désagréables sous la dent.

**Congélation**

Pour les congeler, placez les framboises, sans les laver, sur une plaque à biscuits que vous déposez dans le congélateur. Le lendemain, triez les framboises congelées et placez-les dans des sacs conçus pour la congélation. Extirpez l'air avec une paille avant de sceller les sacs.

## Frites

Voici le secret pour des frites maison dorées, moelleuses et très croustillantes.

Coupez vos pommes de terre en tranches épaisses et griffez-les à l'aide des dents d'une fourchette pour obtenir une texture gondolée, avant de les couper en frites.

Faites tremper les pommes de terre coupées dans un bol d'eau glacée pendant quelques minutes.

Épongez les frites pour éviter le bouillonnement et le débordement de l'huile. Plongez les pommes de terre dans l'huile. Après ce petit bain de quelques minutes, sortez-les de l'huile quelques minutes avant de les plonger de nouveau dans un second bain d'huile jusqu'à ce qu'elles deviennent dorées.

On sale avec un sel fin et on saupoudre de fleur de sel au moment de les servir.

Vous obtiendrez de très bonnes frites en ajoutant 5 ml (1 c. à thé) d'essence de vanille à l'huile de cuisson.

La pomme de terre Russet donne d'excellentes frites.

## Fromage

Déposez un morceau de sucre dans le contenant où vous conservez vos fromages afin d'éviter la moisissure. Non seulement les fromages resteront plus frais, mais le sucre les empêchera de suinter. Il est bon de se rappeler que le fromage se conserve mieux dans le bas du réfrigérateur.

Les extrémités d'un fromage fraîchement coupé peuvent durcir. Appliquez-y une fine couche de beurre avant de ranger le fromage au réfrigérateur.

Le cheddar devenu sec et dur peut être râpé et conservé au réfrigérateur dans un bocal fermé hermétiquement. Il vous dépannera pour agrémenter vos salades et plats cuisinés.

Pour éviter que le fromage râpé sèche et forme un bloc dans le frigo, déposez un morceau de mie de pain dans le sac refermable.

Si un fromage de chèvre oublié est devenu sec, humectez-le d'huile d'olive et placez-le dans un récipient hermétique. Vous pouvez y ajouter quelques branches de fines herbes pour lui redonner de l'arôme.

Pour qu'un gruyère retrouve sa fraîcheur première, enveloppez-le dans une étamine (coton à fromage) imbibée de vin blanc. Il suffit de quelques heures pour lui rendre sa fraîcheur. On peut ramollir d'autres fromages durcis en les entourant d'un linge humecté d'eau froide salée. Recouvrez le tout de papier d'aluminium et mettez au réfrigérateur.

Il est important de bien râper le fromage que l'on ajoute aux plats cuisinés afin qu'il se mêle aux autres ingrédients. Lorsqu'il s'agit de faire gratiner un plat, il est préférable d'utiliser un four à température moyenne, car un four trop chaud fait durcir le fromage et le rend caoutchouteux.

**Congélation**

Pour congeler un fromage, enveloppez-le dans du papier ciré, puis recouvrez-le d'une feuille d'aluminium. Vous pouvez le conserver au maximum trois mois. Avant de le servir, laissez le fromage décongeler au réfrigérateur, sinon il deviendra granuleux. Les fromages à pâte molle ne supportent pas toujours bien la congélation et les fromages à pâte dure doivent être réservés aux préparations culinaires.

## Fromage cottage

Le fromage cottage reste frais plus longtemps si vous rangez le contenant à l'envers dans le réfrigérateur.

Pour donner plus de saveur au fromage cottage servi en salade, saupoudrez-le de poivre et parsemez-le de lamelles de poires.

## Fruits

Pour que vos fruits se conservent plus longtemps dans la corbeille sur la table ou le comptoir, placez une gousse d'ail ou quelques bouchons de liège coupés en deux dans la corbeille. Les petites mouches noires iront virevolter ailleurs.

Ajoutez un jet de jus de citron aux fruits que vous venez de couper s'ils ont tendance à brunir rapidement (pommes, poires, bananes). Le citron empêche aussi l'avocat de brunir.

## Fruits secs

Pour ramollir les dattes, figues et raisins agglutinés en bloc, déposez-les dans un plat et laissez-les quelques minutes dans un four chaud, ou aspergez-les d'eau et déposez dans un petit bol pendant 30 secondes au four à micro-ondes.

Pour ramollir les fruits secs, il suffit de les faire tremper dans un peu d'eau chaude, dans laquelle vous pouvez aussi ajouter du jus de fruits ou de l'alcool. On peut également réhydrater les fruits secs en les laissant tremper dans une tasse de thé chaud.

## Fudge

Ajoutez une pincée de sel à votre recette de fudge. Elle donnera plus de saveur à la friandise tout en réduisant légèrement son goût trop sucré.

## Galette des rois

Pour poursuivre la tradition, vous devez glisser une fève, une pièce de monnaie, un petit objet en porcelaine ou en plastique. Faites une entaille sous le gâteau après la cuisson. Ni vu… ni connu.

## Garniture à tarte

Un restant de garniture aux fruits en conserve se congèle et se conserve très bien pendant quelques mois. Vous pouvez l'ajouter à vos pâtisseries ou vous en servir comme base de sauce.

## Gâteau

Pour savoir si votre gâteau est bien cuit, piquez-le au centre avec un spaghetti cru. Ce dernier doit en ressortir complètement propre.

Souvent, les gâteaux ne sont pas faits à la perfection à cause d'un petit détail… Avant de commencer la recette, allumez votre four. Vous devez calculer de 10 à 15 minutes avant qu'il atteigne la chaleur voulue. Celle-ci diminuera automatiquement lorsque vous ouvrirez la porte pour y glisser la préparation.

Prévoyez donc quelques degrés de plus, puis réglez le four à la bonne température une fois que le plat sera à l'intérieur.

Si vous avez peur que votre gâteau adhère au moule, utilisez le vieux truc de tapisser le moule de papier ciré beurré. Par contre, rappelez-vous que si vous utilisez un moule tubulaire pour la préparation d'un gâteau des anges, vous ne devez jamais beurrer ou graisser le moule, car vous verrez le gâteau s'affaisser à la sortie du four.

Si vous n'avez pas de moule tubulaire, utilisez un moule rond et déposez une boîte de conserve vide à moitié remplie d'eau au centre.

Pour une cuisson parfaite de vos gâteaux, le moule doit être placé sur la grille du centre de votre four, que vous aurez préalablement chauffé à la température appropriée.

Dès la sortie du four, placez le moule à gâteau sur un linge à vaisselle mouillé à l'eau froide. Attendez quelques minutes et vous n'aurez aucune difficulté à retirer le gâteau du moule.

Lorsque le dessous d'un gâteau a légèrement carbonisé, frottez rapidement une passoire métallique sur les parties brûlées ; elles s'enlèveront plus facilement.

Un gâteau ne collera pas dans l'assiette de présentation si vous la saupoudrez de sucre glace avant de l'y placer.

Vous voulez trancher un gâteau à l'horizontale avant de le glacer, mais vous avez peut-être peur de vous retrouver avec deux parties tordues d'épaisseurs différentes. Pour le couper en deux parties bien égales, utilisez une bonne longueur de soie dentaire non cirée que vous tendez là où vous désirez diviser la pâtisserie, puis tirez-la vers vous.

Vous couperez facilement un gâteau garni de crème en trempant la lame d'un grand couteau dans un bol d'eau chaude. Essuyez le couteau avec un papier absorbant et répétez l'opération entre chaque découpe.

Si vous voulez apporter votre gâteau préféré chez des amis, insérez une paille au milieu de la pâtisserie. Recouvrez le tout d'une pellicule de plastique qui prendra la forme d'une tente et ne collera pas au glaçage.

Pour assurer la fraîcheur de vos pâtisseries, glissez une tranche de pomme sous la cloche à gâteau.

Si un gâteau est trop sec, faites de petites fentes sur le dessus avec la pointe d'un couteau et versez-y un peu de jus de fruits ou un sirop de fruits en conserve.

Si une pâtisserie mal emballée a perdu sa fraîcheur, déposez-la dans un contenant hermétique avec quelques tranches de pain. Attendez un jour ou deux avant de le rouvrir.

## Gâteau aux fruits

Le secret des arômes d'un bon gâteau aux fruits est de l'envelopper dans une étamine (coton à fromage) imbibée d'une liqueur ou de la boisson désirée. Enveloppez ensuite le gâteau dans une feuille d'aluminium. Répétez l'opération au cours des semaines précédant la dégustation.

## Gélatine

La gélatine prendra plus vite si vous ajoutez quelques gouttes de jus de citron au mélange.

## Gelée de porto

On peut l'utiliser pour préparer rapidement une sauce accompagnant les volailles ;

Pour accompagner des canapés de foie gras ;

Pour napper une tarte aux fruits et ainsi obtenir une belle finition.

Voilà un petit pot bien pratique à conserver au réfrigérateur.

## Gingembre mariné

On en trouve dans toutes les assiettes de sushis. Le gingembre est destiné à rafraîchir le palais entre les différents sushis. On le consomme en petite quantité. On peut le préparer à la maison, mais les épiceries asiatiques offrent un excellent gingembre mariné en pot.

## Glaçage à gâteau

Ajoutez une pincée de sel à la préparation du glaçage à gâteau pour couper le goût trop sucré.

Pour éviter les miettes mélangées au glaçage, couvrez le gâteau d'une mince couche de glaçage. Réfrigérez-le pendant 10 minutes et appliquez la deuxième couche qui sera impeccable.

## Glaçons

Pour obtenir des glaçons clairs comme du cristal, faites bouillir et refroidir l'eau que vous utilisez et que vous verserez dans le bac à glaçons.

Si vous désirez des glaçons décoratifs, ajoutez à l'eau quelques gouttes de jus de citron, un zeste d'orange ou de citron ou une cerise au marasquin.

## Gnocchis

Si vous pensez que les gnocchis aux pommes de terre sont cuits lorsqu'ils remontent à la surface de l'eau... cette idée est un peu risquée. Plongez plutôt les gnocchis dans l'eau bouillante et, chronomètre en main, calculez deux minutes. Retirez et égouttez.

## Grenade

L'écorce d'une grenade doit être rouge foncé, lisse et brillante. Plus le fruit est lourd, plus la pulpe sera juteuse ; il est à point s'il émet un son métallique quand on le frappe.

## Guimauves

Conservez les guimauves au congélateur. Elles ne sécheront pas, ne colleront pas ensemble et ne durciront pas.

Si elles ont durci, placez deux ou trois tranches de pain dans le sac en plastique et refermez-le hermétiquement. Les guimauves retrouveront leur souplesse en quelques jours.

Autour d’un feu de camp, quand vous voulez faire griller des guimauves, enduisez la fourchette ou la brochette d’huile végétale afin qu’elles n’y collent pas.

## Haricots secs

Pour trier les haricots secs, versez-les dans un saladier, puis recouvrez-les d'eau. Jetez les haricots qui flottent : ils sont gâtés soit par des insectes soit par la moisissure.

## Herbes de Provence

Les mélanges peuvent varier, mais on y trouve généralement ces herbes : thym, romarin, sauge, sarriette, origan, basilic, marjolaine et laurier.

## Homard

### Achat

Un homard vivant doit être actif et vigoureux, et courber la queue lorsque vous le soulevez. Ne l'achetez pas s'il est immobile. Si vous le conservez dans un bac rempli de glace, il aura des mouvements beaucoup plus lents.

Un homard vivant se conserve environ 12 heures au réfrigérateur. Placez-le dans un plat recouvert d'un linge humide. Si vous désirez conserver les homards vivants quelques jours de plus, déposez-les dans une caisse en bois et arrosez-les de bière et d'eau. Le houblon les nourrira pendant trois ou quatre jours.

Si vous préférez acheter le crustacé déjà cuit, choisissez-le d'un rouge orangé vif. Sa carapace doit être intacte, sa queue, légèrement courbée, et son odeur, douce et fraîche.

Étant donné que les bactéries se transmettent du poisson cru au homard cuit, assurez-vous que ces deux aliments ne se côtoient pas à l'étal du poissonnier.

**Cuisson**

On a tendance à trop faire cuire le homard. La casserole doit donc contenir très peu d'eau bouillante salée, car c'est la vapeur qui assure une bonne cuisson. Calculez seulement 8 minutes la livre pour un homard mâle et 10 minutes pour une femelle, dont les œufs doivent être bien cuits. Les connaisseurs admettent que la chair de la femelle est plus tendre. À vous de juger !

Si vous hésitez à plonger ces petites bêtes dans l'eau bouillante, achetez-les déjà cuites. Voici un bon moyen de savoir si on a fait cuire le homard alors qu'il était encore vivant ; si la queue reprend sa position initiale, c'est-à-dire qu'elle se replie sur elle-même, après que vous l'avez redressée, le crustacé était bien vivant et parfaitement sain au moment de la cuisson.

Pour réchauffer le homard déjà cuit, il suffit de le plonger quelques minutes dans de l'eau bouillante. Vous pouvez rehausser le goût de la chair en ajoutant à l'eau de cuisson du jus de citron, des herbes salées ou simplement du varech, que vous pouvez vous procurer chez le poissonnier.

Le homard cuit se conserve deux ou trois jours au réfrigérateur.

**Congélation**

Mon meilleur truc pour congeler des homards est de placer dans une grande casserole trois ou quatre sacs d'épicerie en plastique, insérés les uns dans les autres pour obtenir une bonne épaisseur. Déposez les homards cuits à l'intérieur des sacs, puis couvrez d'eau. Mettez le tout au congélateur. Le lendemain, retirez de la casserole. Fermez les sacs convenablement, au besoin couvrez d'un nouveau sac et remettez au congélateur ce bloc de glace qui contient les homards. Pour décongeler, mettez les sacs renfermant les crustacés dans la casserole que vous avez utilisée auparavant, puis placez celle-ci au réfrigérateur. La chair sera ainsi bien conservée, et sa texture se rapprochera de celle du homard frais.

Vous pouvez aussi congeler les homards cuits, refroidis, épongés, dans des sacs à congélation dont vous aurez retiré l'air avant de sceller.

Le homard se conserve deux mois au congélateur.

**Dégustation**

La chair des pinces, des pattes et de la queue ainsi que le corail rouge présent chez les femelles peuvent être consommés sans crainte.

Il faut cependant faire preuve de prudence avec le foie. Cette partie, souvent très appréciée des gourmets, est un filtre naturel qui élimine toutes les substances potentiellement nocives que le homard a ingérées.

Avant de servir, coupez la carapace dans le sens de la longueur et retirez la veine foncée qui court le long du corps, près du dos.

Si vous détestez voir un liquide verdâtre couler dans votre assiette, prenez soin de suspendre préalablement le homard quelques minutes par la queue, après avoir fait une légère incision sur le dessus de la tête. Le liquide s'écoulera alors lentement. Déposez le homard sur un essuie-tout replié dans l'assiette et que vous retirez à la dernière seconde avant le service.

## Huile à cuisson

Versez l'huile à cuisson dans une bouteille en aérosol. Vous ferez une double économie de coût et de calories.

## Huile à friture

Toutes les huiles ne conviennent pas à la friture. L'huile d'arachide pure est reconnue pour ce mode de cuisson, mais on peut aussi utiliser de l'huile de maïs, d'olive ou de palme. Toutefois, il faudrait éviter de mélanger différentes huiles dans un même bain de friture.

Les huiles de tournesol, de noix et de pépins de raisin supportent mal les températures élevées. Il vaut mieux réserver ces huiles pour les autres préparations culinaires et pour la cuisson en cocotte ou au poêlon.

La température de l'huile ne doit pas dépasser 180 °C (350 °F) et cette dernière doit être renouvelée après 8 à 10 fritures. Prenez soin de filtrer l'huile après chaque usage.

Purifiez l'huile de friture en y jetant un blanc d'œuf après chacune des utilisations. Le blanc d'œuf s'étalera dans l'huile encore chaude et, en cuisant, il récoltera les déchets de la friture. Retirez-le et jetez-le, car il est impropre à la consommation.

Vous pouvez aussi enlever l'arrière-goût d'une huile usagée en y faisant frire tout simplement un bouquet de persil. Retirez-le au bout de quelques minutes et versez l'huile refroidie dans une bouteille que vous conservez à l'abri de la lumière et de la chaleur jusqu'à la prochaine utilisation.

Une huile qui sert à frire le poisson ou des aliments panés doit être remplacée plus souvent. L'huile devenue foncée et qui produit de la fumée doit être jetée.

Lorsque vous devez faire revenir des aliments dans l'huile, celle-ci doit être chaude, mais pas au point de bouillir ni de fumer. Si vous avez un doute sur la chaleur de l'huile de cuisson, jetez-y une goutte d'eau. Si elle grésille, c'est-à-dire qu'elle crépite rapidement sans vous éclabousser, l'huile est à la température idéale.

Vous pouvez aussi y jeter un croûton de pain, s'il remonte instantanément à la surface en grésillant doucement, l'huile de friture est à la bonne température.

Pour empêcher les éclaboussures d'huile pendant la cuisson des pommes de terre ou des poissons, ajoutez une pincée de sel fin dans la poêle.

Si vous venez de renverser la bouteille d'huile par terre, ne paniquez pas ! Saupoudrez le plancher de farine, laissez-la absorber l'huile et balayez ensuite le résidu pâteux. Vous n'avez plus qu'à laver le plancher avec une eau chaude savonneuse.

## Huile de noix

Comme cette huile commence à s'oxyder dès que la bouteille est ouverte, il est recommandé de la conserver au réfrigérateur et de l'utiliser au cours des mois qui suivent son ouverture.

## Huile d'olive

À l'achat, vérifiez si la date de pression est indiquée sur la bouteille. Certaines entreprises l'indiquent et cet indice vous permet de déterminer la fraîcheur du produit.

Généralement, on peut conserver l'huile d'olive deux ans après sa mise en bouteille même si le taux d'acidité augmente légèrement avec le temps et en altère la qualité.

Oubliez les bouteilles décoratives que vous placez sur le comptoir et qui se font darder par le soleil. L'huile d'olive doit être conservée à l'abri de la lumière ; préconisez plutôt un récipient métallique ou en verre foncé. Il est important de bien fermer la bouteille après usage.

Après avoir essayé une huile que vous aimez… vous l'adopterez, même si le prix peut vous sembler élevé. Celui-ci est souvent attribuable au fait que ce produit doit parcourir une longue route avant de vous parvenir.

## Huîtres

Certains raffolent de ce mollusque tandis que d'autres lèvent carrément le nez sur la texture et le goût de l'huître. On ne doit jamais gober les huîtres, mais bien tenir le mollusque dans une main tandis que de l'autre, à l'aide d'un couteau à huître, on détache le fruit de mer de sa coquille. On laisse lentement glisser l'huître dans la bouche. Le jus de citron et une vinaigrette à l'échalote sont les accompagnements les plus populaires.

Après l'achat, consommez les huîtres le plus tôt possible, surtout si elles vous sont vendues en vrac. Rangez-les au réfrigérateur et sortez-les 30 minutes avant la dégustation. Trop froides, les huîtres perdent leur saveur, donc les servir sur un lit de glace n'est pas une bonne idée. Déposez-les plutôt sur un lit de gros sel.

Pour ouvrir facilement une huître, assurez votre prise en enfilant un gant ou en enveloppant votre main d'un linge.

On ne doit pas congeler les huîtres en coquilles. Écaillez-les, retirez-en le jus, puis congelez-les après les avoir recouvertes de liquide.

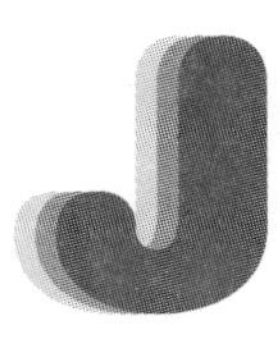

## Jambon

L'équivalent d'une bouteille de bière ajouté à l'eau de cuisson du jambon absorbe une grande partie du sel. Vous pouvez aussi immerger le jambon dans une casserole d'eau et le laisser reposer quelques heures avant la cuisson afin de le dessaler.

Vous pouvez aussi dessaler le jambon en le déposant dans de l'eau fraîche. Laissez mijoter une quinzaine de minutes et jetez l'eau. Couvrez de nouveau d'eau et faites cuire dans cette deuxième eau ou faites-le mijoter de nouveau une quinzaine de minutes avant de le faire cuire selon votre recette préférée.

L'eau dans laquelle cuit le jambon ne doit pas bouillir à gros bouillons. Quand la viande est à point, laissez-la refroidir dans l'eau de cuisson, elle sera plus juteuse et plus savoureuse.

**Voici une recette surprenante : un jambon au cola**
Mettez tout simplement le jambon dans un plat de cuisson et versez-y une canette entière de cola. Formez une tente avec du papier d'aluminium pour bien fermer le plat. Faites cuire au four le temps approprié, selon la grosseur du jambon. Trente minutes avant la

fin de la cuisson, retirez le papier d'aluminium. Vous obtiendrez un jambon tendre, trempant dans une sauce brune appétissante.

Si des tranches de jambon sont légèrement desséchées, faites-les tremper une nuit au réfrigérateur dans un peu de lait, et vous pourrez les servir de nouveau au petit-déjeuner.

Faites congeler le jus de cuisson d'un jambon dans un moule à glaçons et conservez ces cubes de bouillon dans un sac pour congélateur. Ces cubes sont excellents dans les omelettes, la soupe aux pois ou pour la cuisson des légumes.

## Ketchup

Vous désirez utiliser un restant de ketchup bloqué au fond de la bouteille ? Faites tourner celle-ci en la tenant par le fond et en vous assurant qu'elle est bien fermée. Le ketchup se videra facilement après cette opération.

## Ketchup maison

Si vous craignez la fermentation lors de la mise en pots de votre ketchup maison, placez les bocaux couchés sur le côté pendant quelques jours. Aucune fermentation ne les fera exploser.

## Lait

Le lait se conserve au congélateur pendant trois semaines. Il suffira de bien l'agiter avant de le servir puisqu'il aura tendance à se séparer à la suite de la congélation.

Avant de réchauffer du lait, rincez la casserole dans laquelle vous le versez ; celui-ci ne collera pas. Le lait ne montera pas dans la casserole si vous y déposez un petit caillou ou une petite cuillère.

Si vous avez trop chauffé le lait et que vous ayez peur du goût de brûlé, placez la casserole de lait dans l'eau froide et ajoutez-y une pincée de sel. Vous pouvez aussi couvrir la casserole avec un linge propre et mouillé. Le tissu absorbera l'odeur désagréable.

Pour éviter que le lait ne tourne au moment de le faire bouillir, ajoutez une pincée de bicarbonate de soude.

## Lait de babeurre

Il est très rare qu'on utilise au complet le litre de lait de babeurre que nous venons d'acheter. Le lait de babeurre se congèle bien. Si vous en utilisez une certaine quantité pour une recette que vous avez l'habitude de cuisiner, mesurez immédiatement la quantité requise et congelez-la dans un contenant hermétique pour une prochaine utilisation.

## Lait de coco

Dans toutes les recettes, pour leur donner une touche exotique, vous pouvez remplacer la crème ou le lait par du lait de coco. Il est parfait pour parfumer le poulet, le poisson, les sauces, les quiches.

Il est délicieux dans tous les plats asiatiques et pour préparer un riz parfumé. On peut aussi utiliser le lait de coco dans les gâteaux, les biscuits et les confiseries.

Le lait de coco se congèle très bien. Vous pouvez utiliser un bac à glaçons et ces petites portions vous dépanneront.

## Lait en poudre

Pour donner plus de goût au lait en poudre, ajoutez-y une pincée de sel, vous verrez la différence.

## Lait évaporé

Vendu en conserve, on a enlevé environ 50 % d'eau de ce lait entier, partiellement écrémé ou totalement écrémé. Ce liquide épais est le secret des grands chefs, qui n'hésitent pas à en ajouter à la préparation des crèmes de légumes et des sauces. Ce lait est un bon dépanneur ; gardez-en quelques boîtes dans le garde-manger pour remplacer la crème dans tout plat cuisiné non sucré.

## Lait maternel

Si vous prévoyez retourner au travail, vous pouvez faire une bonne provision de lait maternel et la conserver au congélateur. Elle servira à combler votre bébé lorsque vous ne pourrez être présente au moment de ses biberons.

## Laitue

Examinez le pied de la laitue avant de l'acheter. Plus cette partie est blanche, plus la laitue est fraîche. Pour déposer votre laitue dans le sac plastifié sans briser ses feuilles, enfilez votre main dans le sac et attrapez la laitue par la base puis retournez le sac sur la laitue.

Si vous coupez une pomme de laitue au couteau, une réaction chimique fera noircir ou rouiller rapidement les bouts coupés. Il vaut donc mieux déchiqueter la laitue avec les mains.

La laitue doit être rangée rapidement au réfrigérateur sans la laver. Une laitue lavée, humide se conserve 1 journée seulement au frigo avant de présenter des traces de rouille.

La laitue est fanée... Laissez-la tremper dans de l'eau froide avec un morceau de pomme de terre crue. Elle retrouvera son croquant.

Vous n'avez pas d'essoreuse à salade et vous désirez assécher rapidement vos feuilles de laitue ? Placez-les dans une taie d'oreiller que vous refermez et faites tourner le tout. Quelques rotations suffisent à bien essorer la laitue.

## Lasagne

Les feuilles de lasagne précuites vous feront gagner du temps, mais vous devez penser à diluer ou doubler la quantité de sauce, sinon la préparation sera trop pâteuse et amidonnée.

À mon avis, les feuilles de lasagne que vous faites cuire dans l'eau bouillante avant de les utiliser assurent une meilleure recette.

Rien de plus désagréable que de voir son carré de lasagne s'écraser dans l'assiette. Si vous désirez une lasagne avec plus de consistance, ajoutez tout simplement un œuf à la farce. La lasagne se figera légèrement et résistera à la découpe.

Les portions auront aussi belle allure dans l'assiette si vous attendez 10 minutes après la fin de la cuisson avant de couper la lasagne.

## Légumes

Au retour du marché, il est préférable de couper la partie feuillue des légumes avant de les ranger. La

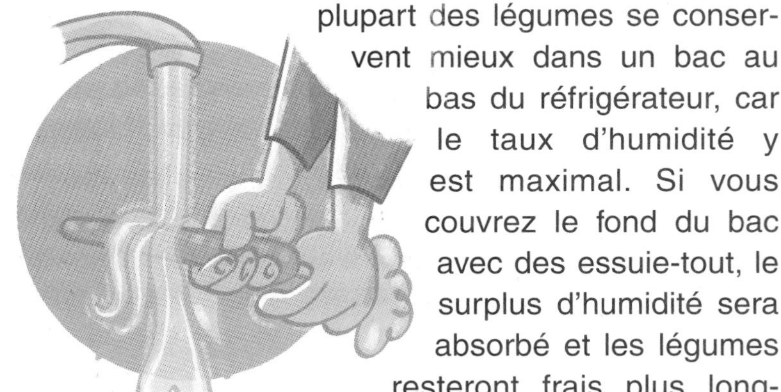

plupart des légumes se conservent mieux dans un bac au bas du réfrigérateur, car le taux d'humidité y est maximal. Si vous couvrez le fond du bac avec des essuie-tout, le surplus d'humidité sera absorbé et les légumes resteront frais plus longtemps.

Tous les légumes cultivés pour leurs racines doivent être soigneusement lavés pour en déloger la terre ou même les insectes.

Les légumes verts doivent tremper dans une eau froide salée quelques minutes avant d'être utilisés. Pour chasser les insectes ou les vers, ajoutez un peu de vinaigre à l'eau de trempage. On ne doit pas laisser tremper les légumes trop longtemps pour qu'ils ne perdent pas leurs sels minéraux. De 10 à 15 minutes suffisent amplement.

Si les légumes sont légèrement défraîchis, faites-les tremper dans de l'eau froide vinaigrée légèrement sucrée.

## Légumineuses

Les légumineuses doivent tremper dans l'eau froide de 10 à 12 heures avant d'être cuits. Jetez l'eau de trempage. Versez les haricots dans une casserole avec la quantité d'eau nécessaire pour couvrir les légumineuses et faites cuire selon le temps nécessaire pour qu'ils soient tendres.

Si vous redoutez les flatulences, changez l'eau une ou deux fois au cours de la cuisson et prenez le temps de très bien mastiquer les légumineuses afin de faciliter la digestion.

Vous pouvez congeler les légumineuses de deux façons : en faisant tremper les fèves, puis les égoutter et les conserver ensuite au congélateur dans des sacs plastifiés conçus pour la congélation. Vous abrégerez ainsi leur prochaine préparation.

Vous pouvez aussi compléter la cuisson des haricots, bien les égoutter et les conserver au congélateur dans des sacs plastifiés. Rapido presto pour ajouter aux plats cuisinés ou pour préparer une salade.

Si vous préférez utiliser des haricots en conserve, prenez le temps de bien rincer et d'égoutter les légumineuses.

## Levure chimique (poudre à pâte)

Vous pouvez tester l'efficacité de la levure chimique remisée depuis des lunes dans votre armoire. Versez 5 ml (1 c. à thé) de poudre à lever dans 60 ml (¼ tasse) d'eau chaude. Si la formation de bulles est instantanée, la pâte est encore fraîche.

## Lime

La lime, aussi appelée citron vert, produit un jus fortement parfumé et très acide. En cuisine, on l'utilise de la même façon que le citron jaune, sauf qu'il faut penser à bien doser la quantité.

Dans une recette, on peut remplacer le jus de lime par du jus de citron, mais il est bon de se rappeler que 80 ml (⅓ tasse) de jus de lime équivaut à 125 ml (½ tasse) de jus de citron. Il ne faut pas oublier, pendant la préparation des pâtisseries, de réduire la quantité d'eau ou de liquide en fonction du changement de la quantité de jus d'agrumes.

## Limonade

La limonade ou le punch tiédit trop rapidement au soleil. Préparez des glaçons avec votre boisson préférée ou du jus de fruits, et ajoutez-les graduellement dans le pichet. Ainsi, la recette originale ne sera pas trop diluée.

## Maïs

L'idéal est de consommer le maïs cueilli le matin même. Les grains seront dodus, d'une belle couleur et gorgés de jus. Si après votre achat, vous avez une longue distance à parcourir en automobile avant de revenir à la maison, rangez les épis dans une glacière.

Le maïs non cuit et épluché se conserve au réfrigérateur dans un récipient, les épis placés verticalement, la pointe vers le haut. Versez dans le bol 250 ml (1 tasse) d'eau froide avant de le ranger.

Les épis frais se conservent bien au réfrigérateur, dans un sac en papier, ou recouverts de leurs feuilles, sur un essuie-tout humide.

Oubliez les trucs de votre grand-mère, témoins d'une époque où les épis avaient de gros grains souvent farineux. Le maïs que l'on trouve maintenant sur nos tables demande très peu de cuisson. Les grains sont petits, juteux et sucrés ; ils peuvent même être mangés crus.

Le maïs se cuit très bien au four à micro-ondes dans un récipient, ajoutez 15 ml (1 c. à soupe) d'eau par épi. Vous pouvez le cuire avec ses feuilles ou non. Couvrez d'un papier ciré et retournez pendant la cuisson, qui se fait toujours à la puissance maximale. Vérifiez le temps de cuisson conseillé selon votre four. Laissez reposer de 2 à 3 minutes avant de servir. Généralement pour 1 épi, on compte de 4 à 5 minutes, pour 2 épis, de 6 à 8 minutes et pour 4 épis, de 8 à 10 minutes.

Pour les faire cuire au barbecue, enveloppez les épis dans du papier d'aluminium, après les avoir beurrés généreusement. Vous pouvez aussi les faire griller en les laissant tout simplement dans leurs feuilles que vous enlèverez après la cuisson. Tournez fréquemment les épis durant la cuisson, qui est d'une dizaine de minutes.

Lorsque vous faites bouillir le maïs, à vous de choisir votre truc préféré pour améliorer sa saveur : on peut ajouter à l'eau une pincée de sucre, du sirop de maïs, un morceau de beurre ou du lait, mais il ne faut jamais saler l'eau qui ferait durcir les grains. Pour la cuisson à l'eau bouillante, calculez 5 minutes si les épis sont dépouillés de leur feuillage, et 10 minutes si vous préférez les faire cuire avec les feuilles.

Si vous organisez une épluchette et que vous n'aimez pas trop l'idée de voir le gros bloc de beurre dégouliner sur votre table toute la soirée, prenez quelques minutes pour fabriquer des « badigeonneurs » individuels ; découpez de petits carrés de tulle ou d'étamine (coton à fromage), déposez un carré de beurre sur chacun et fermez le sachet avec un petit ruban. Chaque invité aura son badigeonneur, et le beurre s'écoulera facilement entre les fibres lâches du tissu. Profitez-en pour servir différents beurres aromatisés.

**Congélation**

Pour congeler le maïs, nettoyez les épis, faites-les blanchir de 4 à 6 minutes selon la grosseur. Faites-les refroidir rapidement dans l'eau froide. Vous pouvez égrener le maïs ou le congeler tel quel. Chaque épi doit être enveloppé individuellement dans de la pellicule plastifiée ou du papier d'aluminium. Les grains cuits se conservent dans des sacs pour congélateur ou dans des contenants de plastique. Avant de servir, laissez décongeler une nuit au réfrigérateur ou deux heures à la température de la pièce. Très pratique pour les plats cuisinés, les omelettes, les soupes et… pour le pâté chinois.

## Maïs soufflé

Pour que tous les grains de maïs éclatent quand vous faites du pop-corn, gardez-les au congélateur.

## Mayonnaise

Vous pouvez facilement réussir une mayonnaise maison. Si vous trouvez la préparation trop épaisse, ajoutez un filet d'eau tiède. Par contre, si elle manque de consistance, incorporez un filet d'huile végétale tout doucement afin de ne pas faire « tomber » la mayonnaise.

Pour bien réussir une mayonnaise, les œufs et l'huile doivent être à la même température, de préférence tempérée.

## Mélasse

Avant de mesurer la mélasse, badigeonnez le récipient d'un peu d'huile. La mélasse glissera plus facilement et vous n'en perdrez pas une goutte.

## Melon d'eau

Un bon melon présente les qualités suivantes : il est ferme, symétrique, exempt de meurtrissures, de coupures ou de trous. Recherchez sur l'écorce une partie plus pâle tirant sur le jaune crème ; cette partie, qui touchait le sol, a jauni à mesure que le fruit mûrissait au soleil. Si le melon en est dépourvu, c'est qu'il a été cueilli trop tôt.

Bien enveloppés, les morceaux coupés se conservent jusqu'à une semaine au réfrigérateur.

## Meringue

Après avoir bien fouetté les blancs d'œufs, on peut ajouter 30 ml (2 c. à soupe) par blanc ou une pincée de crème de tartre pour les rendre plus fermes.

L'ajout de quelques grains de sel aux blancs des œufs rendent aussi la meringue plus ferme.

La cuisson des meringues demande un four très bas 100 °C (200 °F). On parle à ce moment de faire sécher les meringues et non de les faire cuire. Ce four très bas assure des meringues bien sèches et blanches.

**Tarte meringuée**

La garniture d'une tarte au citron doit être bien refroidie avant de déposer la meringue sur la tarte. Des pics trop élevés brûleront avant que la meringue prenne une belle couleur dorée. Il vaut mieux étendre la meringue uniformément. Pour éviter qu'elle tombe en cuisant, saupoudrez-la de sucre glace tamisé avant de la glisser au four.

Si vous remarquez des petites bulles collantes sur le dessus de la meringue après la cuisson, c'est que le sucre s'est mal dissous. Éliminez ce problème en utilisant du sucre en poudre ou du sucre fin et en prenant soin de bien fouetter la meringue entre chaque addition de sucre.

Il arrive que lorsqu'une tarte au citron refroidit, il se forme de l'eau entre la garniture et la meringue. Cette eau résulte du fait que les blancs n'ont pas été suffisamment battus et rappelez-vous que les blancs doivent être très fermes avant d'ajouter le sucre.

## Mesures

**Beurre et margarine**

Pour doser le beurre ou la margarine, versez dans une tasse à mesurer en pyrex la différence entre le contenant et la quantité de beurre que vous désirez obtenir. Ex. : pour 80 ml (⅓ tasse) de matière grasse, versez 160 ml (⅔ tasse) d'eau froide dans le contenant et ajoutez le gras jusqu'à ce que l'eau atteigne le niveau 250 ml (1 tasse). Égouttez l'eau et vous obtiendrez la quantité requise à incorporer à la préparation.

**Ingrédients secs**

Le sel, la farine, les épices, le beurre et tous les ingrédients solides doivent être mesurés ras. Enlevez le surplus avec un couteau ou une spatule de métal. Utilisez des cuillères à mesurer et non celles de votre coutellerie. Une différence minime peut entraîner un véritable échec culinaire.

Les ingrédients secs ne doivent pas être tassés quand on les mesure, sauf la cassonade, qui doit être bien pressée.

Les liquides devraient être mesurés dans des contenants de verre ou de plastique munis d'un bec verseur.

Nombre de recettes demandent du sel et du poivre. Remplissez une salière d'un mélange composé de trois mesures de sel et d'une mesure de poivre. Non seulement, vous n'aurez plus besoin de mesurer ces ingrédients, mais vous salerez et poivrez en même temps.

## Miel

Il est préférable de conserver le miel frais dans un petit contenant plastifié à la température de la pièce et à l'abri de la lumière. Il est aussi possible de le congeler : il se conservera ainsi plusieurs mois. Dans le garde-manger, il arrive que le miel se cristallise. Ne le jetez surtout pas ! Placez le contenant dans l'eau chaude en prenant soin de dévisser le couvercle. Laissez ensuite refroidir à découvert. Vous pouvez aussi réchauffer le miel quelques secondes seulement dans un four à micro-ondes. Il reprendra sa consistance originale.

Évitez que le miel ne colle à la cuillère ou dans la tasse à mesurer en passant d'abord ces ustensiles sous l'eau chaude. Le miel glissera alors facilement et la mesure sera exacte.

## Moules

Voici une méthode rapide pour nettoyer les moules. Faites-les tremper quelques minutes dans une eau froide très poivrée. Vous verrez les moules, qui adorent le poivre, se mettre à bâiller et à rejeter ainsi sable et impuretés.

On peut aussi déposer les moules dans un bol d'eau froide. Ajoutez 3 à 4 cuillerées à soupe de flocons d'avoine et laissez reposer 2 heures. Adieu dépôts et matières indésirables.

## Muffins

Pour obtenir des muffins uniformes, utilisez une cuillère à crème glacée pour mesurer la pâte que vous versez dans les moules.

Démouler des muffins n'est pas toujours facile. Dès la sortie du four, placez le moule sur un linge mouillé à l'eau froide. Attendez quelques minutes et retirez les muffins sans les briser.

## Navet (voir Rutabaga)

## Noix

Les noix ont tendance à rancir rapidement. Vous pouvez conserver au congélateur un petit sachet entamé en utilisant des sacs plastifiés conçus pour la congélation.

## Noix de coco

Si la noix de coco est complètement séchée, mettez-la dans un tamis, que vous placez au-dessus d'une tasse d'eau bouillante pendant quelques minutes.

Pour ouvrir facilement une noix de coco, placez-la dans un four chaud à 180 °C (350 °F) de 45 à 60 minutes ou jusqu'à ce que la coquille commence à se fendre. Laissez-la refroidir et ouvrez-la d'un bon coup de marteau.

Si vous préférez ouvrir la noix de coco avec un gros clou pointu et le marteau pour récupérer le lait, creusez un petit trou dans chacun des trois yeux de la noix et versez le lait dans un verre. Vous pouvez ensuite la déposer au four à 180 °C (350 °F) pendant 1 heure ou jusqu'à ce que la coquille se fendille.

## Œufs

Plongez les œufs dans un bol d'eau légèrement salée. Les œufs qui flottent ne sont plus frais. Ceux qui se retrouvent entre deux eaux peuvent être utilisés en pâtisserie et ceux qui restent au fond du bol, consommés crus ou en omelette.
Pour vous souvenir de ce truc : rappelez-vous des deux F, fond commence comme frais.

Ce phénomène est expliqué par la petite bulle d'air qui se trouve à l'extrémité plus ronde de l'œuf. Quand l'œuf vieillit, la quantité d'air augmente au fur et à mesure que l'humidité s'évapore. Plus l'œuf est vieux, plus il a tendance à flotter, mais il est encore comestible.

La mention « meilleur avant » nous indique pendant combien de temps les œufs conservent leurs qualités de produits de catégorie A. Un œuf consommé après est simplement moins frais, mais il n'a pas perdu ses qualités nutritives. Vu le manque d'humidité, le blanc pourrait être plus liquide et le jaune, plus desséché.

Rangez vite les œufs dès votre retour du supermarché : pour ceux-ci une heure à la température de la pièce équivaut à une semaine de conservation au réfrigérateur. Les œufs se conservent cinq semaines au réfrigérateur. Il n'est pas conseillé de ranger les oeufs dans la porte du réfrigérateur. Chaque fois que vous ouvrez la porte, ils reçoivent une bouffée de chaleur.

Si vous ne laissez pas les œufs dans leur contenant original, disposez-les la pointe vers le bas, « le gros bout sur le dessus », ce qui permet un meilleur équilibre du jaune au milieu de l'œuf et, par conséquent, une meilleure conservation.

Pour différencier un œuf cuit d'un œuf cru, faites pivoter l'œuf sur le comptoir. S'il est cru, il tournera lentement sur lui-même alors que, s'il s'agit d'un œuf dur, il tournera comme une toupie sur une simple poussée du doigt.

Les recettes requièrent souvent des œufs. Ceux de calibre moyen sont spécialement recommandés pour la préparation de gâteaux. Un surplus d'œufs les ferait se « dégonfler » après la cuisson.

Pour séparer le jaune du blanc, cassez l'œuf dans un entonnoir déposé dans un verre. Le blanc s'écoulera dans le récipient alors que le jaune restera coincé. Vous pouvez aussi casser un œuf entre vos doigts bien propres. Le blanc s'écoulera dans le contenant, et le jaune restera dans votre main.

Si une recette ne nécessite que des blancs d'œufs, conservez les jaunes inutilisés au réfrigérateur. Versez-les dans un verre et recouvrez-les d'eau froide.

Pour faciliter la préparation de la salade d'œufs pour les sandwichs, utilisez un pilon. Si vous tranchez des œufs durs, humectez le couteau avant de couper chaque tranche pour éviter que le jaune y colle.

Si on place un œuf dans sa coquille dans le four à micro-ondes, il risque d'exploser. Cassez-le et versez-le plutôt dans un ramequin que vous couvrez. En quelques secondes, vous obtenez un œuf cuit à point, que vous pourrez déposer dans votre sandwich à l'heure du lunch.

Vous pouvez utiliser un robot ou un mélangeur pour fouetter les œufs, mais évitez de mettre le couvercle afin de provoquer une entrée d'air, nécessaire pour obtenir un beau mélange.

**Œuf poché :** casser l'œuf, le jeter dans de l'eau bouillante et laisser cuire 5 minutes.

**Œuf mollet :** mettre l'œuf entier (avec la coquille) dans de l'eau froide ; amener à ébullition, retirer du feu, couvrir et attendre 5 minutes.

**Œuf dur :** déposer l'œuf entier (avec la coquille) dans de l'eau bouillante et laisser cuire 7 minutes. Faire refroidir dans de l'eau froide pour éviter la formation d'un cerne autour du jaune. Saler toujours l'eau dans laquelle vous faites cuire les œufs. En effet, le sel traverse la coquille et rehausse la saveur de l'œuf.

Avant de faire bouillir des œufs craquelés, enveloppez-les de papier d'aluminium.

Lorsque vous préparez des œufs farcis, si vous désirez que le jaune des œufs durs soit bien au milieu du blanc, tournez les œufs dans tous les sens avec une cuillère lorsque l'eau commence à frémir.

Si le jaune d'œuf cuit dur présente un cerne grisâtre, c'est tout simplement que vous n'avez pas mis assez d'eau dans la casserole et que les œufs n'étaient pas couverts entièrement.

Pour écaler rapidement un œuf, il faut le refroidir immédiatement après la cuisson. Frappez-le ensuite doucement sur le comptoir et roulez-le entre vos mains pour dégager la coquille. Écalez en commençant par le gros bout de l'œuf. Enlevez les résidus en le plongeant dans l'eau ou en le tenant sous l'eau du robinet.

**Œuf frit :** casser l'œuf sans en crever le jaune et cuire à la poêle dans un peu de beurre, à feu moyen. Laisser frémir jusqu'à la cuisson désirée.

**Œuf brouillé :** casser l'œuf, le battre à la fourchette et cuire dans un poêlon avec un peu de beurre, à feu moyen. Remuer jusqu'à l'obtention d'un mélange ferme. Certains préfèrent y ajouter quelques gouttes de lait ou d'eau. De préférence, il faut servir les œufs brouillés dès qu'ils sont cuits, car ils deviennent caoutchouteux si on les laisse sur le feu.

Au besoin, on peut les mettre quelques minutes dans un bol couvert qu'on dépose dans un peu d'eau bouillante.

### Blancs d'œufs en neige

Afin d'augmenter le volume des blancs d'œufs, ajoutez une pincée de crème de tartre. Pour de meilleurs résultats, fouettez les blancs d'œufs quand ils sont à la température de la pièce. Ajoutez 5 ml (1 c. à thé) d'eau froide pour chaque blanc d'œuf, leur volume doublera.

Quand un blanc d'œuf ne monte pas, ajoutez une pincée de bicarbonate de soude. Si quelques gouttes de jaune d'œuf se trouvent parmi les blancs, touchez le jaune avec un linge humide ou la coquille d'œuf. Le jaune d'œuf y adhérera immédiatement.

**Congélation des œufs**

Les œufs se congèlent très bien dans de petits sacs conçus pour la congélation. On peut congeler séparément les jaunes des blancs en prévoyant déjà la quantité nécessaire pour chaque préparation ou recette. Profitez des rabais pour en faire une bonne provision puisqu'ils se conservent un an au congélateur.

Il est préférable de battre légèrement les œufs entiers avant la congélation pour empêcher la formation de grumeaux. Pour 250 ml (1 tasse) d'œufs battus, ajoutez 2 ml (½ c. thé) de sel ou 15 ml (1 c. à soupe) de sirop de maïs, selon l'usage que vous en ferez.

Pour congeler seulement les jaunes d'œufs, ajoutez du sel ou du sucre selon l'usage qui leur sera réservé. Les blancs d'œufs se congèlent tels quels dans un contenant hermétique.

On doit utiliser les œufs congelés aussitôt qu'ils sont décongelés et on ne doit jamais les recongeler une deuxième fois.

22 ml (1½ c. à soupe) de blanc d'œuf décongelé équivaut dans une recette à un blanc d'œuf ordinaire ;

30 ml (2 c. à soupe) de blanc d'œuf congelé équivaut à 1 gros blanc d'œuf; 15 ml (1 c. à soupe) de jaune décongelé équivaut à un jaune d'œuf; 37 ml (2½ c. à soupe) d'œuf entier décongelé équivalent à un œuf entier.

### Œuf décoratif

Si vous désirez vider des œufs afin de les colorer ou de les peindre pour Pâques, la méthode est simple. Percez un petit trou avec une grosse aiguille à l'extrémité pointue de l'œuf. Percez ensuite un plus gros trou dans le bout arrondi et, avec la pointe de l'aiguille, crevez le jaune. Placez l'œuf au-dessus d'un bol et soufflez dedans par le plus petit trou.

Rincez l'intérieur et l'extérieur de l'œuf, et laissez-le sécher 30 minutes avant de le décorer.

## Oignons

### Conservation

On peut conserver les oignons pendant deux ou trois semaines au réfrigérateur, dans le bac à légumes. Si vous préférez les conserver dans une armoire, déposez-les dans un sac brun, les oignons ne germeront pas.

Une fois entamé, on conserve l'oignon dans un contenant plastifié ou enveloppé d'une pellicule plastique. Évitez le papier d'aluminium. L'oignon doit être consommé ou utilisé dans une préparation culinaire au cours de la prochaine journée. Après ce laps de temps, il commence à dégager des toxines nuisibles pour votre organisme.

Pelez rapidement les petits oignons que vous vous apprêtez à mettre en pot en les faisant tremper quelques minutes dans un bol d'eau chaude. Plongez-les ensuite dans l'eau froide. Les pelures seront faciles à enlever et les larmes seront moins abondantes.

Si vous avez de la difficulté à émincer les oignons finement, utilisez une roulette à pizza. Passez-la à plusieurs reprises sur les tranches d'oignon et le tout sera terminé rapidement.

Si vous avez besoin de quelques gouttes de jus d'oignon, coupez une tranche épaisse à la base de l'oignon et grattez-en le centre avec un couteau.

Pour faire dorer des oignons sans les brûler, saupoudrez-les légèrement de farine avant de les jeter dans la poêle.

Vous pouvez aussi ajouter une cuillerée de sucre en poudre aux oignons que vous faites revenir dans un poêlon.

Si vous trouvez les oignons trop piquants, faites-les macérer quelques heures dans un peu d'huile d'olive avant de les ajouter à la salade.

**Larmoiement**

Évitez le larmoiement lorsque vous épluchez des oignons en les déposant quelques minutes au réfrigérateur avant de les peler ou épluchez-les sous l'eau froide.

Coupez-les près de la racine et de la queue afin que le jus de l'oignon reste à l'intérieur.

Refroidissez les oignons de 5 à 10 minutes au congélateur avant de les couper ou épluchez-les sous un filet d'eau froide ou dans un bac d'eau froide.

Déposez l'oignon dans un sac de plastique transparent suffisamment grand pour y glisser les mains et l'y éplucher.

Mâchez de la gomme.

Placez une boulette de mie de pain à la pointe du couteau.

Tenez une allumette entre vos lèvres, le bout soufré vers l'extérieur évidemment.

En dernier recours, portez des lunettes de natation pour peler et couper les oignons.

**Odeurs**

On enlève l'odeur des oignons crus sur les ustensiles et la planche à découper en les lavant dans une eau additionnée de vinaigre ou frottez-les avec un demi-citron. Vous pouvez aussi saupoudrer vos mains de levure chimique (poudre à pâte) avant de les laver.

Pour enlever l'odeur d'oignon ou d'ail sur les mains, frottez tout simplement vos mains sur votre évier en acier inoxydable ou procurez-vous un savon en acier inoxydable. Vous pouvez aussi les laver dans un bol d'eau additionnée de quelques gouttes d'essence de vanille, de jus de citron ou de vinaigre.

## Olives

Dans un pot d'olives, on constate parfois des résidus blancs à la surface du liquide. Remédiez au problème en versant une cuillerée ou deux d'huile d'olive dans un pot entamé. L'huile protégera la saumure en scellant le pot.

Si les olives sont trop salées, plongez-les une dizaine de minutes dans l'eau bouillante avant de les rincer à l'eau froide.

## Omelette

Laissez les œufs à la température de la pièce plusieurs minutes avant de les battre, et salez seulement en fin de cuisson.

Le secret d'une bonne omelette est d'ajouter quelques gouttes d'eau et non de lait aux œufs battus. On obtient une omelette tendre et moelleuse facile à retirer du poêlon. En utilisant une poêle antiadhésive de bonne qualité, vous vous faciliterez la tâche.

Vous obtiendrez une omelette plus légère si vous battez les blancs d'œufs séparément et les ajoutez aux jaunes battus.

## Orange

Pour peler une orange, ébouillantez-la avec la peau pendant quatre minutes. Égouttez-la, laissez-la refroidir et la peau blanche partira complètement avec le zeste.

## Os à moelle

Si vous aimez la moelle des os, vous trouvez bien dommage de les voir se vider en cours de cuisson. Pour éviter ce problème, saupoudrez la moelle de gros sel avant la cuisson.

## Pain de viande

Si vous n'aimez pas manipuler le bœuf haché avec les œufs et les différents ingrédients, réglez le problème en mettant tous les ingrédients dans un sac de plastique. Refermez ce dernier après l'avoir vidé de son air, puis pétrissez. Vous n'aurez plus qu'à verser le tout dans un moule à cuisson.

## Pain frais

En insérant une branche de céleri dans l'emballage du pain, spécialement le pain croûté, il restera frais quelques jours de plus.

Vous pouvez redonner de la fraîcheur au pain en le déposant près d'un verre d'eau au four à micro-ondes pendant quelques secondes, en prenant bien soin de l'envelopper dans un essuie-tout ou un linge.

Si vraiment le pain croûté est trop sec, passez-le au mélangeur. Vous aurez une excellente chapelure.

Utilisez un couteau préalablement passé sous l'eau bouillante pour trancher un pain très frais, sans endommager les tranches.

Pour conserver la chaleur des petits pains que vous placez dans la corbeille, tapissez l'intérieur de votre corbeille d'une feuille de papier d'aluminium ou procurez-vous un ou deux carreaux de terre cuite, assez petits pour tapisser le fond de votre corbeille. Mettez-les au four cinq minutes, juste avant de les glisser dans la corbeille. Déposez vos petits pains sur les morceaux de terre cuite et couvrez-les d'une serviette de toile.

## Pain pita

Pas toujours facile de farcir un pain pita sans le déchirer ! Pour l'ouvrir sans le voir céder, faites-le chauffer quelques secondes au four à micro-ondes avant de le couper.

## Panure

Il suffit de procéder dans cet ordre : on enrobe la viande ou le poisson de farine, on trempe dans un œuf battu et, finalement, on plonge le morceau à paner dans la chapelure.

## Parmesan

Le parmesan se conserve très bien au congélateur. Vous le râpez, au besoin, et vous le remettez au congélateur.

## Patates douces

Il faut être prudent lorsqu'on achète ces pommes de terre puisque toute trace de moisissure gâte le goût du tubercule. Il ne suffit pas d'enlever cette partie moisie, vous devez jeter le légume.

## Pâte à choux

La pâte à choux est la seule pâte qui se prépare à la chaleur. Le secret pour la réussir : faites-la cuire immédiatement après avoir ajouté la farine au liquide brûlant et battez-la très rapidement pour éviter la formation de grumeaux.

Cuisiner la pâte à choux est un jeu d'enfant. Si les choux ont tendance à s'affaisser quand vous les sortez du four, c'est que leur cuisson est incomplète. Lorsque vous croyez la cuisson terminée, éteignez le feu, laissez la porte du four entrouverte une dizaine de minutes avant de les retirer. La pâte séchera complètement.

L'ajout d'un peu de lait dans la pâte à choux apporte du croustillant et permet une meilleure coloration.

## Pâtes alimentaires

Pour réussir vos pâtes, il faut utiliser environ 1 l d'eau pour 100 g de pâtes. Salez généreusement au moment où l'eau commence à bouillonner. Attendez que le sel soit dissous et que l'ébullition commence avant d'y plonger les pâtes.

Les pâtes absorbent le sel seulement durant la cuisson et non après cuisson.

N'ajoutez pas un filet d'huile dans l'eau pour éviter que les pâtes collent entre elles, car cette méthode empêcherait la sauce de bien y adhérer.

Remuez plutôt les pâtes avec un ustensile en bois ou en plastique pour bien les séparer sans les briser. Pour une cuisson uniforme : immergez entièrement les pâtes. L'ébullition doit être vive. Poursuivez la cuisson selon le temps indiqué sur l'emballage.

Égouttez immédiatement les pâtes à la fin de la cuisson et ne les rincez pas à l'eau froide, sauf si vous les utilisez dans une salade.

Pour empêcher les petites pâtes alimentaires, comme les macaronis, de coller au fond de la casserole, faites-les cuire dans une passoire métallique, que vous déposez dans l'eau bouillante.

Dès qu'elles sont cuites, les pâtes alimentaires farcies remontent à la surface de l'eau.

Les pâtes alimentaires industrielles, rangées dans un contenant fermant hermétiquement, se conservent facilement 1 an au garde-manger. Par contre, les pâtes fraîches séchées, conservées au réfrigérateur, doivent être consommées dans la semaine suivant l'ouverture de l'emballage.

Un surplus de pâtes alimentaires se congèle très bien. Au moment de l'utilisation, passez-les sous l'eau chaude, réchauffez-les quelques minutes au four à micro-ondes. Servez avec votre sauce préférée.

Pour éviter que la soupe ne devienne pâteuse et chargée d'amidon, faites cuire les pâtes à part, dans de l'eau bouillante salée, et ajoutez-les à la soupe après les avoir bien rincées.

## Pâte à pizza

Une pâte à pizza est beaucoup plus légère si on l'abaisse avec la paume des mains et non au rouleau. À défaut de pâte à pizza, procurez-vous de la pâte à pain dont la texture s'en rapproche.

## Pâte à tarte

Si vous préparez la pâte à tarte la veille, elle sera beaucoup plus facile à manipuler et sa cuisson sera uniforme.

Même si le temps manque, il est important de laisser reposer la pâte à tarte en boule pendant 30 minutes à 1 heure au réfrigérateur, emballée dans une pellicule de plastique, avant de l'abaisser. Sinon, vous risquez de voir une pâte se rétracter et rapetisser lors de la cuisson au four.

Si la pâte a tendance à coller au rouleau, prenez l'habitude de ne pas laver le rouleau à pâtisserie. Essuyez-le tout simplement avec un essuie-tout, pour déloger les résidus de pâte et de gras. Avant de rouler la pâte, déposez le rouleau au congélateur ou au réfrigérateur et n'oubliez pas de bien l'enfariner lorsque vous vous en servez.

L'ajout de quelques gouttes de jus de citron ou de vinaigre rend la pâte brisée plus tendre et moins élastique, car l'acide désagrège le gluten de la farine. Si vous prenez le temps de refroidir le shortening quelques heures au réfrigérateur avant de le couper dans votre farine, vous obtiendrez une pâte de qualité supérieure.

Jusqu'à quel point peut-on abaisser la pâte à tarte ? Vérifiez l'élasticité en effectuant quelques pressions sur la pâte avec le bout des doigts. La pâte doit garder l'empreinte de vos doigts.

Si la pâte a tendance à rétrécir durant la cuisson, vous l'avez probablement

- trop manipulée ;
- trop étirée dans le moule ;
- laissée trop longtemps au réfrigérateur ;
- fait cuire dans un four pas assez chaud, ce qui la rend huileuse et friable ;
- préparée sans respecter les quantités mentionnées dans la recette.

Utilisez le robot pour préparer les pâtes à tarte. Au moment d'ajouter les ingrédients liquides, procédez en mode marche-arrêt à quelques reprises pour éviter de trop travailler la pâte, qui pourrait durcir.

## Pâté de foie

Le pâté de foie se consomme froid, mais pas glacé. Sortez-le du réfrigérateur 20 minutes avant de le déguster et couvrez-le de papier d'aluminium jusqu'au moment du service. Pour couper des tranches très minces, utilisez un couteau à fine lame, que vous passez sous l'eau chaude afin de la réchauffer.

## Pâte de tomate

Pour retirer rapidement le contenu d'une boîte de concentré de tomates, ouvrez par les deux extrémités : la pâte glissera facilement.

Conservez les restes de pâte de tomate dans les bacs à glaçons. Après la congélation, glissez-les dans un sac hermétique et utilisez-les au besoin pour ajouter du goût ou de la couleur à vos plats cuisinés.

Dans le frigo, la pâte de tomate se conserve plusieurs semaines sans que l'on y trouve de moisissures. Une fois placée dans un contenant de verre, il suffit de la recouvrir légèrement d'huile d'olive. Fermez hermétiquement. Jetez l'huile avant d'utiliser la pâte de tomate.

## Pâte filo (phyllo)

Il est facile de travailler la pâte filo si on la garde bien humide. Vous devez travailler une feuille à la fois et votre meilleur allié est un linge humide pour recouvrir les autres feuilles qui ne doivent pas sécher. Vous pouvez ensuite remballer les feuilles non utilisées et les congeler de nouveau.

## Pêches

Pour trancher des pêches fraîches, coupez-les en deux et retirez la peau et le noyau. Déposez la demi-pêche dans un coupe-œuf et appuyez fermement. Ce truc vous permettra d'obtenir des tranches uniformes pour la préparation de tartes aux fruits.

## Pépites de chocolat

Les pépites de chocolat ne peuvent remplacer les carrés de chocolat dans une recette. Les pépites sont conçues pour conserver leur forme pendant la cuisson au four. Intégrées inconsidérément dans une préparation, elles donneraient une texture très différente de celle du chocolat fondu.

Lorsque vous préparez un gâteau aux pépites, enrobez-les bien de farine avant de les ajouter au mélange sinon vous risquez, après la cuisson, de les retrouver toutes au fond du gâteau.

## Persil

Profitez des rabais et achetez plusieurs bouquets de persil. Glissez-les, rincés et bien essorés, dans des sacs de congélation. Vous remarquerez que le persil congelé sèche rapidement et que vous pourrez le réduire en poudre à travers le sac.

Le persil demeurera frais si vous le plongez dans l'eau avant de le mettre au frigo.

En cuisine, on ajoute le persil en toute fin de cuisson pour profiter pleinement de son arôme.

## Pesto

Préparez votre recette de pesto préférée et congelez-le dans un bac à glaçons pour obtenir des portions individuelles qui serviront à relever pâtes et soupes.

## Pétoncles

Faites décongeler les pétoncles dans un peu de lait. Ils seront moelleux et garderont leur blancheur.

Il est préférable d'essuyer les pétoncles frais avec un linge humide avant de les apprêter. Les pétoncles congelés doivent être décongelés, bien égouttés et épongés avec un essuie-tout.

Nous avons tendance à trop faire cuire les pétoncles. Quelques minutes suffisent, sinon la chair durcit.

## Pignons

Ces petites noix de pin de couleur crème ont une saveur délicate qui se développe grandement lorsqu'on les grille. Conservez-les à l'abri de la lumière et consommez-les rapidement, car leur conservation est fragile.

## Pizza

Il est recommandé d'utiliser d'une plaque à pizza badigeonnée d'huile d'olive pour la cuisson au four. Si vous utilisez une plaque perforée, vous obtiendrez une croûte plus croustillante. Le four doit être chaud et bien préchauffé. La pizza doit être déposée sur la grille du bas.

Pour réchauffer une pointe de pizza dans un four à micro-ondes, déposez tout simplement l'aliment sur un papier essuie-tout, sans couvrir. Vous éviterez ainsi que la pâte soit détrempée.

## Poire

Achetez des poires fermes et placez-les sur le dessus du panier de provisions, car elles sont très sensibles aux chocs et à la chaleur. À la maison, conservez-les à l'air ambiant pendant quelques jours. Vous pouvez aussi les réfrigérer, mais prenez soin de les sortir une heure avant de les consommer afin qu'elles rendent tout leur arôme.

## Poireau

Pour bien nettoyer un poireau, il suffit de le fendre sur la longueur et de le passer sous l'eau du robinet en entrouvrant les feuilles pour en déloger la terre.

Une excellente suggestion pour utiliser tous les restants de poireau, faites-les revenir taillés en julienne, dans du beurre. Formez un lit sous un filet de poisson que vous désirez faire cuire.

## Pois

Si les pois de la soupe sont encore durs, mettez-y à tremper une tranche de pain croûté une demi-heure avant de servir. Les pois s'attendriront et la soupe sera prête à temps.

Pour conserver la belle couleur des pois congelés et augmenter leur goût, ajoutez une pincée de sucre à l'eau de cuisson.

## Poisson

Rappelez-vous que plus un poisson est frais, moins il sent. Un poisson frais dégage une odeur douce, il a les yeux brillants, et ses écailles adhèrent bien à la chair, qui est ferme. Quand on le manipule, l'empreinte des doigts ne reste pas dans la chair.

Un bon truc pour les pêcheurs : enrouler le poisson dans du papier journal bien imbibé d'eau froide jusqu'au moment où vous déposez les poissons dans la glacière.

### Préparation

Il est plus facile d'enlever la peau à un poisson congelé qu'à un poisson frais. Incisez celle-ci près de la queue et ôtez-la en tirant vers la tête. Pour que le poisson ne vous glisse pas des mains, tenez-le avec un linge sec.

Il est facile de farcir un poisson. Salez-en l'intérieur avant d'ajouter la farce. Fermez ensuite l'ouverture avec des cure-dents reliés par de la ficelle ou faites une couture avec de la soie dentaire non cirée.

La couleur grisâtre de la morue n'est pas toujours appétissante. Faites tremper le poisson dans du lait avant la cuisson. Sa chair blanchira parfaitement. Si vous faites tremper le poisson dans de la crème avant de le cuire, il n'en sera que plus doré et plus croustillant.

## Cuisson

Pour empêcher les filets de poisson d'adhérer au fond du poêlon, ajoutez tout simplement du sel à l'huile de cuisson ou utilisez moitié beurre moitié huile pour la friture. Évitez de trop chauffer l'huile avant d'y faire cuire le poisson.

Ajoutez un filet de jus de citron à l'huile pour éliminer la fumée et l'odeur. Attention de ne pas trop faire cuire le poisson. Dès que la chair commence à se détacher facilement à la fourchette, le poisson est prêt à servir. On obtient une chair plus ferme si on arrose le poisson d'un jet de jus de citron en cours de cuisson.

Un poisson poché demande peu de cuisson. Amenez à ébullition de l'eau ou du bouillon dans une casserole. Dès le premier bouillon, déposez les filets de poisson et fermez le feu de la cuisinière. Couvrez et laissez la casserole sur la cuisinière quelques minutes avant de servir le poisson poché. À défaut de vin blanc pour pocher le poisson, ajoutez quelques gouttes de jus de ciron ou de vinaigre à l'eau. La chair sera beaucoup plus blanche et le goût relevé.

Les amateurs de poisson frit sont nombreux et les recettes de pâte sont aussi très nombreuses. Retenez qu'une préparation à base d'eau donne une friture croustillante, tandis qu'une pâte préparée avec du lait est plus tendre. Le nec plus ultra : une pâte à frire dans laquelle vous aurez ajouté un peu de bière.

Si vous avez peur des arêtes, coupez le poisson dans le sens de la longueur et ajoutez une farce à l'oseille. Faites cuire le poisson à feu doux. Curieusement, l'acidité de l'oseille fera fondre les arêtes.

**Congélation**

Un poisson congelé dans de bonnes conditions se conserve environ six semaines au congélateur sans se dessécher ni perdre de sa saveur. Attention aux taches blanches ou brûlures dues à la congélation. Ne congelez jamais un poisson une fois qu'il a été dégelé.

Pour obtenir une saveur de poisson frais, faites décongeler le poisson dans un peu de lait salé ou non. Par exemple, un poisson grisâtre comme la morue deviendra blanc et sera ainsi plus appétissant.

Lorsqu'on doit décongeler du poisson rapidement, on le dispose en filets, ou entier, dans un récipient assez profond. On recouvre d'eau en ajoutant une bonne poignée de gros sel et le jus de deux citrons. Cinq à dix minutes suffisent à décongeler le poisson, qui gardera sa saveur en cuisant.

**Odeurs**

Frottez-vous les mains avec du sel après avoir manipulé du poisson. Lavez-vous ensuite les mains, et l'odeur désagréable disparaîtra.

Pour éliminer les odeurs de cuisson, déposez une soucoupe remplie de vinaigre sur le dessus de la cuisinière.

Pour faire disparaître l'odeur de poisson d'une poêle à frire, frottez-la avec des feuilles de thé humides. Ajoutez du marc de café dans l'eau de vaisselle si vous voulez chasser l'odeur des assiettes. Rincez ensuite à l'eau claire.

## Poivrons

Au retour du marché, coupez et épépinez les poivrons. Glissez-les dans des sacs de plastique fermés hermétiquement. Ainsi préparés, ils se conservent très longtemps au réfrigérateur.

Si vous désirez les congeler, déposez-les dans une assiette ou sur une plaque à biscuits et faites-les congeler individuellement. Lorsqu'ils auront durci, transférez-les dans des sacs de congélation.

Afin que les poivrons conservent leur couleur originale, badigeonnez-les d'huile avant de les farcir et de les faire cuire.

Pour peler facilement les poivrons, faites-les griller 10 minutes au four. Mettez-les ensuite dans un sac en plastique. Lorsqu'ils auront refroidi, vous pourrez les peler en une fraction de seconde.

Vous pouvez aussi enlever facilement la peau des poivrons en les déposant quelques minutes dans un four très chaud, puis en les enveloppant d'un chiffon humide ou de papier d'aluminium.

Si vous ne digérez pas facilement le poivron vert, prenez soin de le peler avant la cuisson, et vous n'aurez aucun problème.

Le poivron noir ou pourpre perd sa couleur pendant la cuisson. Réservez-le plutôt pour les crudités ou les salades.

## Pommes

À la cueillette, choisissez des pommes fermes, sans meurtrissures. Les petites taches brunes qui parsèment parfois la peau n'en altèrent ni le goût ni la qualité.

Les pommes mûrissent 10 fois plus vite à température ambiante qu'au réfrigérateur. Placez-les dans un tiroir à fruits, au fond tapissé de papier essuie-tout. Celui-ci absorbera l'humidité.

Pour conserver une plus grande quantité de pommes, entreposez-les dans une chambre froide sombre et bien aérée dont la température se situe entre 0 °C et 4 °C (32 °F et 39 °F).

Vous pouvez aussi les mettre dans de grands bacs recouverts d'une pellicule plastique perforée en plusieurs endroits.

Empêchez les pommes que vous venez d'éplucher de brunir : laissez-les tremper dans un bain d'eau salée ou frottez-les avec du jus de citron.

Conservez quelques pelures de pomme. Faites-les sécher et ajoutez-les à votre tisane préférée.

Ajoutez une pincée de sel à la cuisson des pommes afin d'en relever la saveur.

Lorsque vous préparez une compote, ajoutez du jus de pomme aux fruits qui mijotent afin d'en accentuer le goût.

Sucrez la compote avec du miel, du sirop d'érable ou de la cassonade. La cannelle, la muscade, le gingembre, du clou de girofle, une noix de beurre ou un peu de jus de citron relèvent le goût d'une compote.

Pour obtenir un goût différent et une compote savoureuse, râpez les pommes au lieu de les couper en morceaux.

Pour éviter que les pommes farcies s'écroulent et éclatent lors de la cuisson, déposez-les dans un moule à muffins avant la cuisson et faites quelques entailles de 2 mm à la surface de leur peau.

La pomme se congèle bien en quartiers, en lamelles, légèrement cuite ou arrosée d'un filet de jus de citron.

## Pomme de terre

Si vous profitez des rabais pour faire provision de pommes de terre, et que vous ne voulez pas les retrouver toutes germées, glissez une belle pomme rouge au centre de votre contenant. La pomme dégagera suffisamment de gaz éthylène pour une bonne conservation.

Pour une bonne purée de pommes de terre, on ajoute le beurre avant le lait, qui doit être légèrement chauffé avant d'être versé sur les pommes de terre. On peut aussi y ajouter un blanc d'œuf battu.

Les pommes de terre à chair jaune comme la Yukon Gold sont excellentes en purée.

Surprenant, mais l'ajout de zeste d'orange rehausse une purée de pommes de terre.

Pour ajouter de la légèreté à votre purée de pommes de terre, ajoutez 5 ml (1 c. thé) de levure chimique (poudre à pâte) au lait chaud et au beurre. Battez vigoureusement pour une purée des plus onctueuses.

Pour des pommes de terre rôties et croustillantes, tranchez-les une fois bouillies de la veille et saupoudrez-les légèrement de farine avant de les faire revenir dans un poêlon.

Pour une pomme de terre cuite uniformément au four à micro-ondes, piquez trois ou quatre cure-dents en appuyant fermement pour la traverser, avant de la placer au four. N'oubliez pas de retirer les cure-dents avant de servir.

Si vos pommes de terre ne sont plus très fraîches, évitez qu'elles noircissent pendant la cuisson en ajoutant à l'eau un jet de jus de citron ou de vinaigre et 15 ml (1 c. à soupe) de farine. Elles resteront blanches, et votre purée sera excellente.

On peut aussi ajouter une pincée de sucre à l'eau de cuisson pour améliorer la saveur de vieilles pommes de terre.

Lorsque les pommes de terre ont trop bouilli, ajoutez un œuf cru et battez jusqu'à ce que le tout épaississe.

Par contre, si les pommes de terre manquent de cuisson, les grumeaux abondent dans la purée. Couvrez le contenant de pommes de terre d'une pellicule plastique, et faites-le chauffer au four à micro-ondes pendant quelques minutes. Remuez régulièrement et vérifiez la cuisson. Puis, utilisez le malaxeur pour fouetter le mélange.

La pomme de terre nouvelle est classée en trois catégories : la grenaille, qui est minuscule, la petite et l'ordinaire. Inutile de la peler, car sa peau est très mince.

Un léger brossage ou tout simplement un lavage sous l'eau courante suffisent pour la nettoyer.

Si vous avez carrément oublié les pommes de terre sur la cuisinière, déposez vite la casserole dans l'eau froide pendant 10 à 15 secondes. Retirez les pommes de terre de la casserole et enlevez la partie brûlée. Si nécessaire, poursuivez la cuisson dans une nouvelle casserole. Présentez ces pommes de terre en purée et le goût de brûlé passera inaperçu.

Présente dans les pommes de terre, la solanine est inoffensive aussi longtemps que sa concentration est très faible. Dès que vous remarquez une couche verdâtre sous la pelure, le taux de solanine est trop élevé pour la consommation et peut causer une intoxication alimentaire. Même si vous épluchez généreusement les pommes de terre, il reste encore trop de solanine. Il faut donc vous résigner à les jeter. Pour éviter ce problème, conservez les pommes de terre à l'abri de la lumière et de l'humidité.

## Pot-au-feu

Faites dorer les cubes de viande dans la casserole avant d'y ajouter le bouillon ou l'eau froide. Vous conservez ainsi les sucs de la viande, qui la rendront tendre, mais elle restera juste assez ferme.

Lorsque vous préparez un plat mijoté avec des cubes de viande, ajoutez au moins trois bouchons de liège à la sauce. Les bouchons libèrent des enzymes qui attendrissent la viande et qui réduisent le temps de cuisson. Pensez à les retirer avant le service.

Si vous ajoutez une tasse de thé fort au liquide de cuisson, la viande en sera attendrie et la durée de cuisson diminuée.

## Pot de conserve

Arrêtez de forcer comme une damnée pour ouvrir un pot ! Tournez le pot à l'envers sur le comptoir et tapez le fond avec le plat de la main. Cela provoquera un rappel d'air et il s'ouvrira ensuite sans aucune difficulté.

Vous pouvez aussi enfiler une paire de gants en latex que vous utilisez pour les travaux ménagers ou pour laver la vaisselle, et hop ! Le bocal s'ouvrira pratiquement sans effort !

Ne recyclez pas les vieux pots de confitures ou de marinades pour la préparation de vos conserves. Utilisez des pots spécialement conçus pour la mise en conserve et souvenez-vous que les joints d'étanchéité ne doivent pas servir plus d'une fois.

Le lave-vaisselle nettoie adéquatement vos pots de verre, mais ne peut les stériliser.

## Poulet

**Conservation du poulet dans le réfrigérateur**

Un poulet entier cru : de 1 à 3 jours
Un poulet découpé : 1 ou 2 jours
Des abats : 1 ou 2 jours
Du poulet haché : 1 jour
Du poulet cuit avec de la sauce : de 1 à 3 jours
Du poulet cuit sans sauce : 3 ou 4 jours

Pour la cuisson du poulet, munissez-vous d'une grille qui épouse la forme du plat à rôtir. Un poulet qui baigne dans son jus durant la cuisson sera plus gras, il est donc préférable que le gras s'écoule tout au long de la cuisson. Vous pouvez par contre arroser une fois le poulet de son jus durant la cuisson.

Arrosez la peau du poulet que vous faites griller avec le jus d'un citron. Vous obtiendrez une peau croustillante et dorée.

Pour des découpes de poulet bien dorées, roulez les morceaux de volaille dans du lait en poudre au lieu de la farine avant de les faire frire.

Avant la cuisson, un poulet arrosé de jus de citron, de jus d'orange ou de vin blanc offrira une chair plus tendre. Le jus de citron permet à la volaille de conserver sa belle couleur blanchâtre.

Pour paner le poulet, facilitez-vous la tâche en déposant la chapelure, la farine et les assaisonnements dans un sac de plastique refermable. Glissez-y les morceaux de poulet que vous aurez réfrigérés au préalable. Refermez et agitez.

Si vous réfrigérez des morceaux de poulet avant de les faire frire, quelle que soit la recette de panure, celle-ci adhérera mieux à la viande au moment de la cuisson.

Pour obtenir un poulet tendre, badigeonnez les morceaux de mayonnaise avant de les recouvrir de chapelure.

Pour attendrir la volaille, laissez mariner les poitrines de poulet au réfrigérateur quelques heures avant la cuisson. Les marinades à base de yogourt, de babeurre, de lait ou de crème sont excellentes.

La soie dentaire non cirée est excellente pour coudre la peau de poulet ou pour tenir en place les morceaux d'une volaille farcie.

## Pruneaux

Conservez les pruneaux déshydratés dans une boîte fermant hermétiquement. S'ils se recouvrent d'une pellicule blanche, ne vous inquiétez pas, cela signifie simplement que le sucre est remonté à la surface de la peau. Pour les réhydrater, trempez-les dans un bouillon (pour une recette salée) ou du thé chaud (pour un dessert).

Ne retirez pas les noyaux avant de cuisiner les pruneaux pour un plat en sauce. Le parfum délicat de l'amande ajoute de la saveur au mets.

## Punch

On met des cubes de glace dans le punch pour que cette boisson demeure froide. Afin de ne pas trop diluer le liquide, congelez des cubes de jus de fruits ou du punch, que vous ajouterez pendant la réception.

## Quiche

Pour réchauffer une pointe de quiche dans le four à micro-ondes, déposez tout simplement l'aliment sur un papier essuie-tout, sans couvrir. Vous éviterez ainsi que la pâte soit détrempée.

## Raisin

Saviez-vous que si vous détachez plusieurs raisins d'une grappe, vous altérez la fraîcheur de tous les autres grains ? En effet, les fruits restants ramollissent et se ratatinent sur la grappe, qui se dessèche rapidement. Utilisez plutôt un ciseau de cuisine pour découper les portions désirées en petits bouquets. Enveloppez ceux-ci d'une feuille de papier absorbant et glissez-les dans un sac de plastique refermable, percé de petits trous pour une bonne aération.

Les raisins peuvent devenir dangereux pour les jeunes enfants puisqu'ils se coincent facilement dans la gorge. Enlevez la peau des raisins en les plongeant dans l'eau bouillante, puis dans un bol d'eau glacée. La peau se retirera très facilement.

## Raisins secs

On peut utiliser toutes les variétés de raisins secs, dans les salades de fruits, les pâtisseries, les muffins, les puddings, les farces. Pour gagner du temps lors de la préparation de vos recettes, faites gonfler les raisins secs dans l'eau ou dans l'alcool pendant quelques secondes au micro-ondes.

Les raisins de Corinthe sont petits, foncés et sans pépins.

Les raisins de Smyrne, sans pépins et un peu plus gros, ont une saveur musquée et sont moins sucrés.

Les raisins de Malaga, plutôt gros et très parfumés, contiennent des pépins.

Les raisins Sultanine sont offerts dans de petites boîtes ou mélangés avec d'autres fruits séchés.

La plupart des raisins Muscat sont traités aux sulfites lors de la déshydratation pour préserver leur couleur dorée, ou ambrée, et les empêcher de brunir.

## Réfrigérateur

Vous désirez connaître la température exacte de votre frigo ? Mettez un thermomètre dans un bol d'eau. Déposez le bol à différents endroits du réfrigérateur pendant 12 heures et vous connaîtrez les zones les plus fraîches. Vous pourrez alors ranger les aliments sensibles à la chaleur dans ces endroits et vous saurez si votre réfrigérateur a un bon fonctionnement.

## Rhubarbe

Ce légume est excellent en compotes, en tartes et en confitures. Retirez les feuilles, car elles sont toxiques, et passez la rhubarbe sous l'eau pour la débarrasser de toutes ses impuretés. Enlevez les filandres et coupez les tiges en tronçons, que vous pourrez conserver au réfrigérateur quelques jours.

Comme la saison est courte, on peut congeler la rhubarbe en la coupant en petits tronçons.

Saupoudrez de sucre et congelez sur une plaque à biscuits. Le lendemain, glissez-les dans des contenants hermétiques ou dans des sacs plastifiés.

La rhubarbe doit être cuite dans une casserole en acier inoxydable, car les contenants en aluminium noircissent à son contact.

Avant de cuisiner avec la rhubarbe, faites blanchir les tiges deux minutes dans l'eau bouillante. Vous éliminerez ainsi l'excès d'acidité.

Lors de la cuisson, comme la rhubarbe rend beaucoup de jus, n'ajoutez que très peu d'eau dans la casserole ; le sucre suffira.

Pour la préparation d'une tarte, disposez les tronçons de rhubarbe crue sur la pâte à tarte et saupoudrez-les d'un mélange de sucre et de farine à parts égales. La quantité de sucre dépend de votre préférence pour une tarte plus sucrée ou plus surette.

La vanille ou le gingembre parfument agréablement une compote ou une tarte à la rhubarbe.

## Risotto

Le choix d'un riz italien est primordial. Ce riz blanchâtre, aux grains plus ronds que ceux des autres variétés, est connu sous différents noms, dont les plus populaires et recommandables sont : l'arborio, le vialone et le carnaroli. On trouve au moins une de ces variétés de riz dans tous les supermarchés.

Le bouillon, qui est à l'origine de tout risotto, se prépare traditionnellement la veille et peut être à base de viande, de poisson, d'abats ou de légumes.

Vous devez vous armer de patience pour la préparation d'un risotto. Il faut incorporer le bouillon au riz petit à petit, et vous ne devez pas abandonner la casserole une seule seconde en cours de cuisson, puisqu'il vous faut remuer sans arrêt pendant 20 minutes.

## Riz

Pour empêcher les grains de riz d'éclater pendant la cuisson, ajoutez 5 ml (1 c. à thé) de vinaigre à l'eau de cuisson.

Pour éviter que le riz soit collant, ajoutez dans l'eau une noisette de beurre ou une goutte d'huile.

Préparez un riz frit parfait en le faisant cuire à la vapeur quelques heures avant de le frire. Rincez bien le riz cuit et conservez-le au réfrigérateur jusqu'au moment où vous le ferez frire par petites portions dans de l'huile chaude. Il est important de ne pas mettre tout le riz en même temps dans l'huile, car celle-ci tiédit rapidement et serait absorbée par les grains.

Pour obtenir un riz très blanc, versez une petite quantité de jus de citron ou de vinaigre dans l'eau de cuisson.

Si vous avez raté votre riz et qu'il est trop collant, rincez-le et utilisez-le dans une soupe.

Rappelez-vous qu'un riz trop mou a été cuit trop longtemps, dans trop de liquide ou qu'il a trop attendu avant d'être servi.

Un riz qui a été remué en cours de cuisson libère de l'amidon et devient collant. Si le riz est grumeleux, c'est sûrement que vous avez soulevé le couvercle durant la cuisson.

Un riz qui cuit dans du jus de tomates ou du jus d'orange prendra quelques minutes de plus à s'attendrir (de 5 à 10 minutes), car l'acidité du jus ralentit sa cuisson. Si les grains sont trop durs, c'est peut-être aussi que la casserole était trop grande : une partie de l'eau s'est évaporée ou alors le couvercle n'était pas bien fermé.

Vous avez laissé le riz brûler ? Versez-le dans une autre casserole et couvrez-le de pelures d'oignon pendant une quinzaine de minutes. Retirez les pelures qui auront absorbé le goût âcre et l'odeur de fumée.

Pour réchauffer un restant de riz au four à micro-ondes, rincez-le bien sous l'eau chaude, ajoutez quelques gouttes d'huile d'olive et passez le tout au four à micro-ondes durant une ou deux minutes.

## Rognons

Quelques heures avant la cuisson des rognons, vous devez les parer, les dégraisser et enlever tous les vaisseaux. Couvrez-les d'eau froide légèrement salée ou ajoutez un filet de vinaigre à l'eau de trempage. Réfrigérez-les pendant quelques heures. Avant la cuisson, rincez, égouttez et épongez.

Les rognons de veau ont une saveur délicate.

Les rognons d'agneau ont une saveur assez délicate.

Les rognons de porc ont une saveur caractéristique prononcée.

Les rognons de bœuf sont moins tendres que les autres rognons et ont une saveur prononcée.

## Romarin

Les branches de romarin parfument les aliments cuits sur le barbecue. Déposez-en quelques-unes sur les charbons ou utilisez-les comme brochettes pour les légumes. Coupez l'extrémité inférieure des tiges pour faciliter l'embrochage. Si certains légumes sont difficiles à transpercer, pratiquez une ouverture avec un gros cure-dent ou une brochette en bois avant de les enfiler sur la tige de romarin. Un pinceau confectionné avec quelques branches de cette herbe peut servir à badigeonner les aliments en cours de cuisson, tout en les aromatisant.

## Rôti

La viande qui sort du réfrigérateur est trop froide pour être cuite immédiatement : l'intérieur ne serait pas assez tendre. Laissez la pièce de viande reposer une trentaine de minutes à température ambiante avant de la mettre au four.

Évitez de saler la viande. Le sel attire les sucs vers l'extérieur du rôti et empêche la formation de la croûte qui retient le jus de la viande à l'intérieur.

Badigeonnez le rôti de moutarde de Dijon sèche.

Pour déterminer le temps de cuisson d'un rôti, comptez 10 minutes par livre pour une viande saignante ; 20 minutes pour une viande plus cuite.

Laissez toujours reposer un rôti de bœuf une quinzaine de minutes après l'avoir sorti du four. Avant de le trancher, tournez-le deux ou trois fois et recouvrez-le d'une feuille de papier d'aluminium. La viande sera plus tendre, plus juteuse, et la couleur, plus uniforme. On peut aussi laisser tous les rôtis et gigots dans un four éteint, une dizaine de minutes avant de les servir. La viande sera plus tendre.

Pour préparer rapidement la sauce d'accompagnement, mélangez le jus de cuisson à une boîte de consommé de bœuf ou à un restant de confiture ou de gelée de fruits.

Un autre bon truc à essayer : sortez votre rôti de bœuf du four cinq minutes avant la fin de la cuisson. Badigeonnez-le de beurre demi-sel fondu et replacez-le quelques minutes au four en position « gril ».

## Rutabaga

Ce légume (qu'on a la mauvaise habitude de nommer navet) fait partie de la famille des choux est excellent dans tous les ragoûts, puisqu'il a la propriété d'absorber les graisses. On peut aussi en faire d'excellentes purées.

Il est préférable d'acheter un rutabaga de taille moyenne à la peau lisse et ferme, car un très gros légume risque d'être fibreux et son goût sera plus âcre. Le rutabaga se conserve quelques jours au réfrigérateur, mais il a tendance à amollir rapidement.

Lorsque vous pelez un rutabaga, utilisez un bon couteau et soyez généreux en enlevant le contour du légume. En effet, vous devez faire disparaître complètement la petite ligne jaunâtre sous la pelure, sinon le rutabaga gardera un goût âcre après la cuisson.

**Odeurs**

La cuisson du rutabaga peut dégager une odeur désagréable dans la maison. Ajoutez une branche de céleri à l'eau de cuisson ou déposez un chiffon imbibé de vinaigre de cidre sur le couvercle de la casserole. Vous éliminerez toutes les odeurs.

## Safran

Reconnus pour leur goût unique, il faut conserver ces pistils de luxe dans un endroit sec, frais, à l'abri de l'humidité et de la lumière. On croit à tort que l'on peut remplacer le safran par du curcuma. Or, ce dernier est beaucoup plus amer.

## Salade de fruits

Le secret d'une bonne salade de fruits : l'ajout d'une pincée de poivre à la toute dernière minute.

## Salade de pommes de terre

Il est beaucoup plus facile de préparer une salade de pommes de terre si vous coupez ces dernières en dés avant de les faire cuire. De cette manière, elles conserveront leur forme, et la cuisson sera parfaite et égale pour tous les morceaux. Égouttez et laissez refroidir les pommes de terre avant de préparer votre salade.

## Salade verte

Lorsque vous préparez une salade verte quelques heures à l'avance, placez une assiette renversée au fond du bol. Ainsi, la salade ne sera pas détrempée puisque l'humidité se logera sous l'assiette.

## Sandwiches fantaisie

Lorsque vous préparez une grande assiette de sandwiches fantaisie pour une soirée, généralement on la recouvre de papier d'aluminium. Vous pouvez aussi recouvrir l'assiette avec un linge humide. Placez-les au réfrigérateur et ils resteront frais jusqu'au service.

## Sauce

Si votre sauce est trop liquide et que vous devez l'épaissir, ajoutez au liquide chaud quelques flocons de pommes de terre en purée instantanée. Mélangez bien, jusqu'à ce que la sauce obtienne la consistance désirée.

Lorsque vous déglacez la rôtissoire avec un bouillon ou un jus de fruits, versez la sauce dans une tasse de verre et attendez que le gras remonte à la surface. Plongez ensuite une seringue de cuisine dans la tasse et aspirez le jus de cuisson seulement. Le gras s'accumulera tranquillement au fond de la tasse et non dans votre assiette.

Mettez la farine ou la fécule de maïs dans une salière. Saupoudrez votre sauce sans craindre d'y voir des grumeaux indésirables.

Pour remuer les sauces et éviter les grumeaux, un fouet est préférable aux cuillères de plastique.

## Sauce au beurre

Pour monter une sauce au beurre, placez les cubes de beurre au congélateur quelques heures avant de préparer la sauce. Réussite garantie, puisque le beurre doit être très froid lorsqu'on l'incorpore au mélange.

## Sauce tomate

Il est courant d'ajouter une pincée de sucre à la sauce tomate pour prévenir l'acidité. Une carotte râpée sera tout aussi efficace et contiendra moins de calories.

Si vous ajoutez 30 ml (2 c. à soupe) de fécule de maïs à votre sauce tomate et viande lorsqu'elle est bouillante, vous éviterez l'eau au fond des assiettes de service.

Il est important de laisser mijoter très longtemps la sauce tomate afin que l'eau puisse bien s'évaporer, ce qui règle le problème de l'eau au fond de l'assiette.

## Saucisses

Les saucisses ont tendance à éclater lors de la cuisson sur le barbecue. Pour éviter ce problème, incisez les saucisses et faites-les bouillir deux minutes avant de les mettre sur le gril. Elles cuiront aussi beaucoup plus rapidement.

## Saucisses hot-dog

Il est très important de respecter la date de péremption indiquée sur les emballages des saucisses, car leur fraîcheur s'altère rapidement. On ne doit jamais consommer des saucisses recouvertes d'un liquide blanchâtre.

Les saucisses à hot-dog en rondelles peuvent aussi être source de danger pour les jeunes enfants qui peuvent s'étouffer. Elles doivent être coupées en très petits morceaux sur la longueur de la saucisse.

## Saumon

Si le saumon que vous servez est sec, c'est qu'il est tout simplement trop cuit. En fait, qu'il soit préparé à l'étuvée ou poché, ce poisson demande un temps de cuisson très court. Lorsque vous constatez que la chair du saumon a changé de couleur, retirez le poêlon de la cuisinière : la cuisson continuera au contact du liquide chaud.

Pour griller le saumon, on le saisit dans un peu d'huile d'olive et de beurre. On peut ensuite terminer doucement la cuisson au four.

Faites cuire le saumon entier avec la peau : celle-ci empêchera les sucs de s'échapper, et la chair sera plus tendre. Si la peau s'enlève facilement avec une pince ou un couteau, vous savez que la cuisson est terminée.

## Saumon fumé

Le saumon fumé se conserve très bien au congélateur. Pour le dégeler, percez l'emballage et mettez-le quelques heures au réfrigérateur. Il est recommandé de ne pas laisser le saumon fumé plus de deux heures à la température ambiante.

## Sel

Pour atténuer le goût salé d'un plat cuisiné, ajoutez une pincée de sucre. Mélangez-le délicatement à la préparation afin qu'il se dissolve bien.

Dans une soupe trop salée, ajoutez une pomme de terre, que vous retirez au moment de servir. Vous pouvez aussi ajouter un filet de crème et le goût en sera amélioré.

## Sésame

Pour faire ressortir pleinement la saveur des graines de sésame, vous devez les faire griller. Étendez uniformément les graines sur une plaque à pâtisserie et faites-les griller au four à 180 °C (350 °F) pendant 5 minutes.

On peut aussi les faire cuire à feu moyen dans un poêlon de 5 à 8 minutes, jusqu'à ce qu'elles deviennent bien dorées.

Les graines de sésame se conservent au frais au réfrigérateur, car elles ont tendance à rancir au fil des semaines. On peut aussi les congeler.

## Sirop d'érable

Si vous avez fait provision de sirop d'érable, conservez-le au réfrigérateur ou au congélateur jusqu'au printemps suivant. Les boîtes de conserve se conservent bien dans une armoire, mais une fois ouverte, transférez le précieux liquide dans un contenant muni d'un couvercle hermétique.

Si vous remarquez la présence de cristaux dans le sirop, ne vous inquiétez pas ! Ce phénomène s'explique par un déséquilibre entre la quantité de sucre et d'eau contenue dans le sirop. Pour remédier à la situation, chauffez-le jusqu'à ce que les cristaux soient bien dissous.

Si une pellicule blanchâtre flotte à la surface, vous pouvez récupérer votre sirop. Passez-le à travers une étamine (coton de fromage) et amenez-le à ébullition. Versez-le ensuite dans une bouteille et utilisez-le le plus tôt possible.

## Soufflé

La pâte peut être préparée quelques heures à l'avance, mais ajoutez les blancs d'œufs montés en neige très ferme tout juste avant d'enfourner la préparation.

Les blancs d'œufs doivent être conservés à la température de la pièce avant d'être battus. Les blancs doivent être solides sans devenir secs.

Incorporez les blancs d'œufs délicatement pour ne pas briser les bulles d'air qu'ils contiennent. Attention : le moindre grumeau peut empêcher un soufflé de lever.

Ne mélangez pas la préparation avec une cuillère en métal. Utilisez plutôt une spatule en caoutchouc, en silicone ou une cuillère en bois.

Si vous beurrez le moule et saupoudrez le fond et les parois de farine, vous n'aurez aucune difficulté à retirer le soufflé du récipient.

Préchauffez bien le four avant d'y glisser le soufflé. Quelques secondes d'ouverture de la porte durant la cuisson suffisent pour que le soufflé arrête de gonfler. Généralement le four doit être chauffé à 200 °C (400 °F)

Une fois la cuisson terminée, ouvrez la porte délicatement et laissez le soufflé dans le four, la porte entrebâillée, jusqu'au service.

## Soupe

Fatiguée de la soupe aux légumes que vous réchauffez depuis quelques jours ? Passez-la au mélangeur, ajoutez un peu de lait ou de crème, et voilà un potage onctueux.

Si le potage aux légumes est trop clair, ajoutez deux ou trois cuillerées de flocons de pommes de terre déshydratées. Ensuite, fouettez vigoureusement le potage, qui aura une belle consistance.

Pour dégraisser une soupe, recouvrez le liquide avec un morceau de papier ciré. Déposez la casserole au réfrigérateur. Lorsque la soupe aura refroidi, le gras sera collé au papier et pourra être retiré en un clin d'œil.

Vous pouvez aussi la dégraisser en déposant une grande feuille de laitue sur la soupe pendant quelques minutes.

Lorsque vous ajoutez des pâtes alimentaires dans une soupe, il est préférable de les faire cuire dans une eau bouillante salée et de les ajouter après les avoir bien rincées.

Si vous cuisinez une soupe aux tomates, l'acidité peut déranger votre estomac. Ajoutez donc à la préparation une carotte entière, que vous retirez à la fin de la cuisson ; elle aura absorbé complètement l'acidité.

Il est facile de doubler, voire de tripler une bonne recette de soupe. Le temps de préparation reste souvent le même et, grâce à la congélation, vous pourrez servir une bonne soupe maison en quelques minutes.

## Sucre

Déposez un craquelin (biscuit soda) dans votre pot de sucre ; cela empêchera l'humidité d'y pénétrer.

## Sucre à la crème

Si votre sucre à la crème est devenu trop dur, glissez dans votre pot scellé un quartier de pomme. En plus de retrouver sa texture originale, votre sucre à la crème prendra un délicieux petit goût.

## Tarte

Évitez la pâte détrempée en badigeonnant le fond avec un blanc d'œuf et ajoutez une pincée de tapioca instantané avant d'y placer les fruits. Le tapioca épaissira légèrement la garniture, retiendra le jus de cuisson et empêchera la garniture de couler au fond du four. Si vous ajoutez de la farine à la préparation des fruits, vous risquez d'altérer le goût de la tarte.

En badigeonnant le fond de tarte avec un blanc d'œuf battu à la fourchette, vous évitez aussi le problème. Sous l'action de la chaleur, le blanc d'œuf se transforme en une mince pellicule qui protège la pâte. Pour ce qui est du jaune d'œuf, délayez-le dans une cuillerée d'eau, puis badigeonnez-en le dessus de la tarte.

Vous pouvez aussi saupoudrer la moitié d'une petite enveloppe de gélatine neutre sur la préparation aux fruits, puis déposez le tout une heure ou deux au réfrigérateur avant de procéder à la cuisson de la tarte.

Lorsque vous cuisez un fond de tarte, piquez-le avec une fourchette ou déposez-y des pois secs pour éviter que la pâte gonfle pendant la cuisson.

Badigeonnez le dessus de votre tarte avec un blanc d'œuf battu et saupoudrez-la de sucre pour obtenir une belle pâtisserie et une croûte lustrée. Si vous préférez une croûte bien dorée, enduisez-la du mélange suivant : 2 œufs, 30 ml de lait et une pincée de sel. Remuez le tout et l'étendre délicatement sur la pâte avant d'enfourner la tarte.

Pour empêcher un couteau de coller lorsque vous coupez une tarte aux fruits, passez-le tout simplement dans un peu de farine ou enduisez-le de beurre avant de tailler les pointes.

Pour couper une tarte en cinq portions égales, tracez la lettre Y au centre, puis coupez deux pointes sur le côté du Y.

## Têtes de violon

La saison est courte pour les têtes de violon qu'on trouve dans tous les marchés à la mi-mai. Ces jeunes pousses de fougère doivent être lavées dans une eau froide. Secouez-les vigoureusement pour bien les nettoyer et déloger toutes les impuretés. On fait cuire les têtes de violon dans une eau bouillante salée pendant 10 à 15 minutes. Égouttez-les, salez et poivrez.

À servir avec une vinaigrette ou tout simplement un jet de jus de citron et une touche de beurre.

Si vous désirez congeler des têtes de violon, blanchissez-les dans une eau bouillante pendant 3 à 4 minutes. Refroidissez les légumes dans l'eau froide. Égouttez-les bien et déposez-les dans des sacs conçus pour la congélation.

## Thé

Le thé se conserve mieux dans un bocal de verre ou un contenant plastifié.

Avant d'infuser le thé, réchauffez la théière et les tasses en les rinçant à l'eau chaude.

Amenez de l'eau fraîche à ébullition et lorsque l'eau bout, versez l'eau sur le thé.

Couvrez et laissez infuser de trois à cinq minutes. Retirez les feuilles de thé.

Vous pouvez ajouter à l'eau bouillante quelques zestes de citron ou d'orange, ou encore un bonbon à la menthe.

Il est préférable de ne pas laver la théière avec du savon. Un simple rinçage à l'eau bouillante devrait suffire.

## Tire d'érable

Vous achetez de la tire d'érable que vous désirez conserver quelque temps, et voilà qu'elle commence à tourner en sucre. Recouvrez-la tout simplement d'eau froide après chaque utilisation. Le problème est réglé !

## Tofu

Le tofu doit être mariné dans un contenant de verre ou émaillé. Un plat métallique laisse un arrière-goût désagréable. Cet aliment doit aussi être chauffé à basse température, car s'il perd une bonne partie de son eau, il devient sec.

Dans la préparation de la lasagne, vous pouvez remplacer le fromage cottage ou la ricotta par du tofu à consistance moyenne.

## Tomate

Pour faire mûrir rapidement des tomates, déposez-les sur le comptoir, à l'abri du soleil, ou enveloppez-les dans du papier journal : elles mûriront en un clin d'œil.

Pour bien les conserver, déposez-les sur leur pédoncule et conservez-les à la température de la pièce ; elles seront juteuses et savoureuses. Conservées au réfrigérateur, les tomates se gorgent d'eau.

Pour les trancher, placez-les verticalement, ce qui leur permettra de mieux conserver leur jus. Par contre, si vous trouvez qu'une tomate est trop juteuse, coupez-la en deux, salez chacun des morceaux et placez-les dans un récipient, sur la face coupée.

Enlevez les pépins d'une tomate en la coupant en deux à l'horizontale et en pressant doucement chaque moitié pour en faire tomber les pépins.

Pour conserver leur belle couleur lors de la cuisson, évitez de cuire les tomates dans une casserole en cuivre, qui aura tendance à en altérer la teinte.

Pour les peler, plongez-les quelques secondes dans l'eau bouillante, ou piquez-en la peau en plusieurs endroits avant de les chauffer au four à micro-ondes pendant 30 secondes. Dans tous les cas, laissez-les refroidir avant de les peler.

On peut maintenir en place les tomates farcies en utilisant un moule à muffins pour la cuisson au four.

Voici une façon délicieuse d'apprêter des tomates vertes : tranchez-les en fines rondelles. Dans un poêlon, faites-les rôtir dans un peu de beurre. Salez et poivrez. Servez-les avec un bon steak cuit sur le gril. Délicieux !

### Congélation

Placez-les, entières, sur une plaque d'aluminium, au congélateur, puis, lorsqu'elles sont bien congelées, transférez-les dans des contenants hermétiques. Vous n'aurez qu'à retirer la peau et le pédoncule avant de les incorporer à vos sauces. Vous pouvez aussi enlever le pédoncule avant la congélation, mais ne perdez pas de temps à retirer la peau qui se décollera facilement après la congélation.

## Tourtière

Pour un succès garanti, glissez les tourtières congelées et non cuites au four, à 180 °C (350 °F) pendant environ 1 heure.

Pour réchauffer une tourtière cuite que vous désirez croustillante, placez dans le four une assiette remplie d'eau froide.

## Vanille

Conservez les gousses de vanille dans un endroit sec, à température ambiante et dans un contenant hermétique afin d'éviter leur dessèchement. Les gousses doivent être brunes, brillantes et non tachetées.

Pour accentuer le parfum de la vanille, ébouillantez la gousse avant de la couper en deux.

Si vos gousses de vanille ont séché, vous pouvez les moudre et les réduire en poudre. Cette poudre vanillée, conservée dans un contenant fermant hermétiquement, pourra être utilisée dans la préparation de vos recettes.

Si vous préférez la vanille liquide, choisissez la vanille pure, plus chère que les produits artificiels. L'arôme en vaut le prix.

## Vinaigrette

Pour rehausser la saveur du vinaigre dans la salade, ajoutez-y une pincée de sucre. Il peut arriver qu'on ait trop mis de vinaigrette dans une salade. On remédie au problème en ajoutant une cuillerée de sucre en poudre et en mélangeant bien.

Lorsque vous préparez une vinaigrette maison, rappelez-vous les proportions suivantes : 1 partie de vinaigre de votre choix pour 3 parties d'huile. Comme il ne se dissout pas dans l'huile, le sel doit être ajouté et fondu auparavant dans le vinaigre. On peut aussi remplacer le vinaigre par du jus de citron. Le secret de plusieurs bonnes vinaigrettes réside dans l'ajout d'un peu de moutarde de Dijon.

## Vins blanc et rouge

Refroidissez rapidement une bouteille de vin blanc en la plongeant 5 minutes dans un sceau d'eau glacée et salée.

Si vous ne possédez pas de pompe pour évacuer l'air de la bouteille, refermez-la avec un bouchon de liège et couchez-la sur une tablette dans le réfrigérateur. Utilisez ce fond pour la préparation de marinades ou des sauces.

On peut congeler les fonds de bouteille de vin. Les cubes déglaceront à merveille vos poêlons pendant la cuisson des viandes.

## Wasabi

Cet incontournable pour les amateurs de sushis est vendu dans toutes les épiceries japonaises. On en trouve en poudre qu'on dilue jusqu'à la consistance désirée dans un peu d'eau ou de sauce soya. La wasabi vendu en tube est pratique, mais légèrement plus piquant que l'authentique.

## Wok

La cuisson au wok permet de préparer rapidement un repas sain et délicieux. La cuisson requiert peu d'huile, les aliments n'adhèrent pas au wok et l'entretien est minime.

L'huile de canola et l'huile d'arachide sont excellentes pour ce type de cuisson. On peut y ajouter un filet d'huile de sésame.

Ne déposez pas un wok au lave-vaisselle. Passez-le sous l'eau chaude. Au besoin, ajoutez quelques gouttes de savon à vaisselle liquide.

Pour protéger le recouvrement intérieur du wok: utilisez une spatule en plastique ou en bois pour retourner les ingrédients en cours de cuisson. Évitez tous les ustensiles métalliques.

# Z

## Zeste

Si vous avez besoin de zeste d'orange ou de citron pour une recette et que le fruit est trop mou, placez-le une dizaine de minutes au congélateur. Il vous sera facile de râper l'agrume devenu un peu plus ferme.

Utilisez une râpe, appliquez une légère pression sur l'orange et évitez de zester la membrane blanche.

Vous pouvez faire sécher les zestes quelques heures sur un papier ciré afin que l'humidité s'évapore ou sur une plaque à biscuits au four à 100 °C (200 °F). Une fois refroidis, déposez-les dans un pot de verre qui ferme hermétiquement. Entreposez celui-ci dans un endroit sec.

Vous pouvez aussi étaler les zestes d'orange ou de citron sur du papier absorbant. Faites-les chauffer 1 minute à puissance maximale dans le four à micro-ondes. Retournez-les 30 secondes après. Conservez-les dans un contenant hermétique.

Si vous préférez la congélation, déposez le zeste râpé dans un sac de plastique fermant hermétiquement.

Partie 2

# Une autre utilité... à vos produits

Trouvez la solution à votre problème en quelques secondes. La liste suivante vous énumère les différents produits de votre cuisine qui peuvent vous dépanner.

Vous désirez préparer un masque pour votre peau ? Le choix est vaste dans vos tiroirs de fruits et légumes.

Des taches ? Le lait, le citron et même les coquilles d'œufs peuvent vous venir en aide.

Découvrez les vertus de plusieurs produits que vous avez l'habitude de servir dans votre assiette et que vous verrez d'un autre œil après cette lecture.

# Tout problème a une solution

Comment utiliser cette liste : la solution à un problème d'abat-jour se trouve à l'entrée fécule de maïs, p. 190 de cette partie.


| | |
|---|---|
| Abat-jour | fécule de maïs, 190 |
| Acier inoxydable | huile d'olive, 195 |
| Aiguilles à tricoter | papier ciré, 207 |
| Allume-feu | spaghetti, 214 |
| Appliques | sel, 212 |
| Arête de poisson | œuf, 204 |
| Arrosoir | bouteille de ketchup, 179 |
| Assouplisseur maison | vinaigre, 219 |
| Bain santé | gruau, 193, huile de tournesol, 194, lait, 199 |
| Bateau | bicarbonate de soude, 177 |
| Biberons | bicarbonate de soude, 177, pain, 207, riz, 211 |
| Bijoux | ketchup, 198, lait, 200 |
| Blocs de glace | contenant de lait et de jus, 186 |

| | |
|---|---|
| Bois verni | café, 180 |
| Bottes de caoutchouc | lait, 199 |
| Bougies | sel, 213 |
| Brûlures | pomme de terre, 209, riz, 211, yogourt, 221 |
| Brûlures de cigarette | mayonnaise, 201 |
| Cadre vitré | mie de pain, 201 |
| Cafetière | sucre, 214 |
| Cartes à jouer | pomme de terre, 210 |
| Casseroles | café, 180, coquilles d'œuf, 186, huile d'olive, 194, pomme de terre, 209, vinaigre, 218 |
| Cernes blancs, meubles | mayonnaise, 201 |
| Chapeau de paille | citron, 184 |
| Charnières | huile végétale, 195 |
| Chat | farine, 190, citron, 183 |
| Chaussures | café noir, 180, graisse végétale, 193, lait, 200, pomme de terre, 210 |
| Chevelure | avocat, 173, citron, 182, huile d'olive, 194, mayonnaise, 201, œuf, 204, Perrier, 208, vinaigre de cidre, 220 |
| Clé | huile végétale, 195 |
| Colle | farine, 189, œufs, 204, tapioca, 216, vinaigre, 218 |
| Compresse | grains de maïs, 193 |

| | |
|---|---|
| Contenants plastifiés | huile végétale, 195, sel, 213, vinaigre, 218 |
| Cors | citron, 183 |
| Coudes | avocat, 174, café, 181 |
| Cristal | pomme de terre, 210 |
| Cuivre | ketchup, 198 |
| Cuvette des toilettes | sel, 213, bicarbonate de soude, 177, cola, 185 |
| Dentelle | eau des pâtes, 188, oignons, 206, riz, 211, sucre, 214 |
| Dentelle ivoire | bière, 178 |
| Dentelle noire | café, 180 |
| Dentelle vieillie | café, 180 |
| Dents | thé, 216 |
| Décalques | vinaigre, 219 |
| Écharde | glaçon, 192 |
| Ecchymose | vanille, 217 |
| Électricité statique | bicarbonate de soude, 178 |
| Empois | fécule de maïs, 191, gélatine, 192 |
| Entorse | bière, 178 |
| Époussetage | huile d'olive, 195 |
| Étain | poireaux, 208, pomme de terre, 210 |
| Étiquettes | beurre d'arachides, 176 |
| Fer à repasser | vinaigre, 218 |
| Feu sur cuisinière | sel, 213 |
| Fleurs fraîches | colorant alimentaire, 185, gomme à mâcher, 192 |

| | |
|---|---|
| Four à micro-ondes | citron, 183, vinaigre, 217 |
| Gants de cuir blancs | farine, 189 |
| Givrer les verres | citron, 184 |
| Gorge | citron, 183, lait, 199, oignons, 205, sel, 213, thé, 216 |
| Goulots de bouteilles | huile végétale, 195 |
| Graffitis | bicarbonate de soude, 177 |
| Guitare sèche | riz, 211 |
| Haleine | cannelle, 181 |
| Hoquet | sucre en poudre, 215, sucre, 215 |
| Humidificateur | citron, 184 |
| Jardin | ail, 173, citron, 183, coquilles d'œufs, 186 |
| Lainage noir | épinards, 188 |
| Lave-vaisselle | vinaigre, 217 |
| Lessive | bicarbonate de soude, 178, sel, 212, vinaigre, 219 |
| Limaces | coquilles d'œuf, 186 |
| Lingerie | lait, 199 |
| Livre | mie de pain, 202 |
| Machine à laver | vinaigre, 217 |
| Mains | thym, 216 |
| Mal de gorge | citron, 182, thé, 216 |

| | |
|---|---|
| Masque peau | avocat, 173, banane, 175, citron, 182, concombre, 185, fraise, 191, framboise, 191, kiwi, 198, miel, 202, pêche, 208, pomme, 209, yogourt, 221 |
| Matelas | bicarbonate de soude, 177 |
| Mauvaises herbes, mousse | sel, 212, vinaigre, 218, yogourt, 221 |
| Mauvaise odeur | vanille, 217, vinaigre, 219 |
| Médicaments | glaçons, 192 |
| Meuble de bois | citron, 183, mayonnaise, 201 |
| Miroir | thé, 216 |
| Mites | clou de girofle, 184 |
| Moucherons | ail, 173 |
| Mouffette | jus de tomates, 197 |
| Mousse de savon | vinaigre, 219 |
| Nappes | crème de tartre, 187 |
| Nausée | citron, 183 |
| Œillets | boisson gazeuse, 179 |
| Oiseaux | gras, 193 |
| Ongles | ail, 173, huile d'olive, 194 |
| Œufs farcis | cartons à œufs, 181 |
| Pansement collé | huile d'olive, 194 |
| Papier peint | mie de pain, 202 |
| Pare-brise | cola, 185 |
| Pare-chocs | huile végétale, 196 |

| | |
|---|---|
| Pâte à modeler | beurre d'arachide, 176, farine, 189 |
| Peinture, odeur | oignon, 205 |
| Pelle | huile végétale, 196 |
| Pellicules | yogourt, 221 |
| Peluches, toutou | fécule de maïs, 190 |
| Photographies | mie de pain, 202 |
| Pieds | bicarbonate de soude, 177, menthe, 201, moutarde sèche, 203 |
| Pigeons | vinaigre, 218 |
| Pinceaux | cola, 185, vinaigre, 218 |
| Piqûres de guêpes | oignon, 205 |
| Piqûres d'insectes | lait, 199, poireau, 208 |
| Planches à découper | citron, 183, huile végétale, 195 |
| Planche à repasser | papier d'aluminium, 207 |
| Plantes | ail, 173, bière, 178, café, 180, huile d'olive, 195, lait, 199, moutarde sèche, 203, œufs, 205, pomme, 209, pomme de terre, 209, thé, 216, vin rouge, 220 |
| Poêlon en fonte | pomme de terre, 209 |
| Poissons d'argent | clou de girofle, 184, pomme de terre, 210 |
| Pommeau de douche | vinaigre, 219 |
| Poterie | sucre, 214 |
| Poupée | beurre d'arachide, 176 |

Renvoi d'eau — café, 180, moutarde sèche, 203
Rhumatismes — céleri, 181
Rideaux — fécule de maïs, 190, lait, 199
Robinets — farine, 189
Rosiers — ail, 173, banane, 175
Rotin — citron, 183
Salle de bains — bicarbonate de soude, 177
Sapin — sucre, 214
Semis — carton à œufs, 181
Sinus — oignons, 205
Soie — lait, 200
Soudure — mie de pain, 202
Souris — piment de Cayenne, 208

**Taches :**

- Boue — jaune d'œuf, 205
- Café — œuf, 205
- Cambouis — beurre, 175
- Carotte, orangé — huile végétale, 195
- Chou rouge — kiwi, 198
- Encre — lait, 199, jus de tomates, 197
- Fraise — vinaigre, 218
- Gomme à mâcher — beurre d'arachide, 176, blanc d'œuf, 179, citron, 182
- Graisse — cola, 185
- Herbe — sucre, 214

| | |
|---|---|
| Huile d'olive | mie de pain, 202 |
| Jaunissement | coquilles d'œufs, 186, lait, 199 |
| Ketchup | bicarbonate de soude, 177 |
| Lait régurgité | bicarbonate de soude, 177, citron, 184 |
| Nicotine | citron, 182 |
| Rouille | citron, 182, cola, 185, jus de tomates, 197 |
| Sang | fécule de maïs, 190 |
| Sauce tomate | lait, 199 |
| Tapis | chou vert, 182 |
| Tapisserie, petits points | sel, 212 |
| Tissu noir | café, 180 |
| Toilettes | cola, 185 |
| Toux | lait, 199 |
| Transpiration | citron, 182 |
| Transpiration des pieds | vinaigre de cidre, 220 |
| Urine | vinaigre, 219 |
| Ustensiles de bois | huile d'olive, 194 |
| Ustensiles de cuisine | oignon, 205 |
| Vase à fleurs | pomme de terre, 210 |
| Vélo | sel, 213 |
| Verrerie | pamplemousse, 207 |
| Vin blanc | sel, 212 |
| Vitres | huile végétale, 196, oignon, 205 |

## Ail

✓ Frottez les ongles fragiles avec une gousse d'ail pelée, et ce, pendant plusieurs jours. Le résultat ne tardera pas à vous encourager à poursuivre le traitement.

✓ Dans le jardin, des gousses d'ail plantées autour des rosiers éloigneront les pucerons.

✓ Une gousse d'ail défraîchie peut aussi chasser les parasites dans la terre d'une plante d'appartement. Il suffit de la garder enfoncée dans la terre de la plante affectée pendant quelques jours.

✓ Tout au long de l'été, les fruits frais déposés dans une corbeille dans la cuisine attirent les moucherons. En glissant une gousse d'ail dans le panier, vous les éloignerez.

## Avocat

✓ Un masque à base d'avocat nourrit une peau très sèche. Écrasez la pulpe d'un demi-avocat, ajoutez quelques gouttes d'huile d'amande douce et quelques gouttes de miel. Gardez le masque une vingtaine de minutes avant de rincer à l'eau tiède.

✓ L'avocat peut aussi hydrater les cheveux en profondeur. Préparez une pommade composée de la pulpe d'un avocat bien mûr et de deux jaunes d'œufs. Passez le tout au mélangeur. Appliquez la pommade sur la chevelure après un bon shampooing. Enfilez un bonnet de douche et laissez agir 30 minutes avant de rincer vos cheveux.

✓ Si vous avez les coudes rugueux, voici une bonne façon de soigner votre peau. Lorsque vous évidez un avocat, mettez tout simplement vos coudes dans l'écorce et frottez avec un mouvement circulaire. Répétez le traitement chaque fois que vous dégustez ce fruit.

## Banane

✓ Un masque à la banane est excellent pour les peaux fatiguées et sèches. Écrasez une banane, ajoutez une cuillerée de miel. Laissez agir une vingtaine de minutes avant de rincer à l'eau tiède.

✓ Après avoir obtenu votre teint de rose, coupez les pelures en morceaux et mélangez-les à la terre autour des rosiers du jardin. Un engrais des plus appréciés de cette fleur gourmande.

✓ Si vous avez une pilule coincée dans la gorge, mangez lentement une demi-banane. La texture de la banane entraînera le médicament.

## Beurre

✓ Frottez les taches de cambouis et de graisse à bicyclette sur les vêtements avec du beurre. Laissez reposer quelques heures. Saupoudrez-les ensuite de talc et raclez-les délicatement avec un couteau. Lavez ensuite dans la machine à laver avec un bon détergent. Répétez l'opération au besoin et ne faites pas sécher dans la sécheuse si les taches n'ont pas complètement disparu.

## Beurre d'arachide

✓ Pour enlever une gomme à mâcher emmêlée dans les cheveux, frottez-la avec du beurre d'arachides ; vous la retirerez facilement.

✓ Sur un objet de plastique, vous pouvez facilement enlever la colle d'une étiquette sans laisser de trace ni de rayure.

✓ Si un visage de poupée est sale, taché d'encre ou porte des marques d'usure, frottez-le tout simplement avec du beurre d'arachides pour donner à la poupée un teint de jouvencelle.

✓ Voici une recette de pâte à modeler comestible pour tous les enfants, sauf ceux qui ont des allergies aux noix.

250 ml (1 tasse) de beurre d'arachides
125 ml (½ tasse) de lait en poudre
125 ml (½ tasse) de germe de blé
60 ml (¼ tasse) de miel

Mélangez tous les ingrédients pour obtenir une pâte lisse. Vous pouvez au besoin ajouter du miel ou du germe de blé pour rendre la préparation juste assez collante. Réfrigérez quelques heures avant d'utiliser.

## Bicarbonate de soude

✓ Si bébé a tendance à régurgiter et que ses vêtements dégagent une mauvaise odeur, frottez les taches avec un chiffon mouillé et saupoudré de bicarbonate de soude avant de déposer les vêtements dans la machine à laver.

✓ L'eau chaude et le bicarbonate de soude éliminent aussi l'odeur du lait suri dans les biberons.

✓ On peut enlever une tache de ketchup sur un tapis en l'absorbant avec un essuie-tout. Une fois qu'elle est asséchée, appliquez du bicarbonate de soude sur la tache. Raclez avec un couteau et passez l'aspirateur. Avec une éponge humide, faites disparaître le résidu de bicarbonate. Ne mouillez pas trop le tapis. Épongez sans frotter. (Le même truc est efficace pour les taches de moutarde et de boissons gazeuses.)

✓ Utilisez ce produit pour nettoyer et rafraîchir la salle de bains, la cuvette des toilettes, la baignoire, le carrelage, le rideau de douche.

✓ Pour désodoriser un matelas, saupoudrez-le de bicarbonate de soude. Attendez 15 minutes avant de passer l'aspirateur.

✓ Vous pouvez effacer les graffitis de vos petits artistes en frottant les murs délicatement avec une éponge ou un linge saupoudré de bicarbonate de soude. Essuyez ensuite avec un linge humecté d'eau.

✓ Le bicarbonate de soude est parfait pour nettoyer sans égratigner et polir la fibre de verre ainsi que les autres parties d'un bateau.

✓ Éliminez l'électricité statique de votre lessive en y ajoutant au détergent 60 ml (¼ tasse) de bicarbonate de soude.

✓ Mettez 45 ml (3 c. à soupe) de bicarbonate de soude dans un bain de pieds ; cela soulagera vos orteils endoloris.

✓ Vous vous débarrasserez des odeurs de cigarettes et de graisse en saupoudrant du bicarbonate de soude sur la pile de vêtements que vous laverez un peu plus tard.

## Bière

✓ Les plantes d'intérieur apprécient la bière ! Frottez le feuillage avec un chiffon imbibé de bière pour obtenir des feuilles bien brillantes.

✓ On dit que la bière atténue la douleur et l'enflure d'une entorse. Il suffit d'appliquer une serviette imbibée de bière autour du membre endolori. Recouvrez-la ensuite d'un sac de plastique pour conserver l'humidité. L'enflure et la douleur devraient se résorber au bout de quelques heures.

✓ Les dentelles ivoire retrouvent leur éclat après avoir été rincées dans un bain de bière.

## Blanc d'œuf

✓ On peut amollir une gomme à mâcher sur un tapis en la frottant avec un blanc d'œuf. On éponge ensuite avec un chiffon mouillé.

## Boisson gazeuse

✓ Pour un bouquet qui se conservera longtemps : les œillets adorent la boisson gazéifiée au citron en remplacement de l'eau.

## Bouteille de ketchup (pression)

✓ Récupérée, cette bouteille devient un excellent arrosoir pour vos plantes. Idéale aussi pour les plantes suspendues difficiles à atteindre, vous n'avez qu'à presser la bouteille pour humidifier la terre sèche.

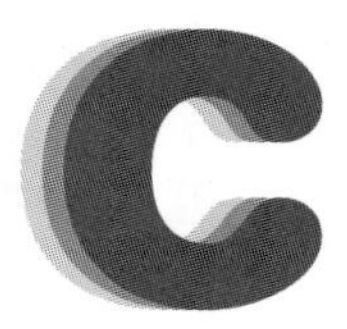



## Café

✓ Les fougères adorent les grains de café ! Déposez-en quelques-uns sur la terre et ils deviendront un bon engrais.

✓ Les dentelles noires adorent les bains dans du café noir sucré ou même le thé. Elles en ressortent propres et empesées.

✓ Une solution d'eau et de café peut aussi raviver la couleur des tissus noirs.

✓ Pour rafraîchir les souliers de satin noir, frottez-les avec un reste de café noir. Laissez sécher.

✓ On peut aussi donner un aspect vieilli à une dentelle en versant quelques gouttes de café ou de thé dans l'eau de rinçage. Elles prendront une teinte ivoire.

✓ On peut enlever les traces de mouches sur le bois verni en frottant avec du marc de café dilué dans un peu d'eau. Essuyez.

✓ Jetez le marc de café dans l'évier et faites couler l'eau chaude. Il désodorisera et dégraissera les tuyaux.

✓ On enlève l'odeur de poisson dans une casserole ou un poêlon en frottant énergiquement avec du marc de café.

✓ Vous avez les coudes ou les talons rugueux? Mélangez du marc de café à un lait corporel. Frottez-en la peau délicatement, rincez, séchez, puis appliquez une crème hydratante. On dit même que le marc de café pourrait combattre la cellulite.

## Cannelle

✓ Un bâton de cannelle est un bon dépanneur pour rafraîchir l'haleine. À conserver sous la main au travail ou dans le sac à main.

## Cartons à œufs

✓ Voilà un excellent contenant pour les semis. Remplissez chaque case de terre en prenant soin de perforer légèrement le fond pour que l'eau s'écoule facilement. Vous pouvez aussi les utiliser pour ranger les bulbes de tulipes au printemps.

✓ Il est plus facile de transporter les œufs farcis dans le contenant de carton ou de polystyrène. Vous les placerez dans le plat de service lorsque vous serez arrivé à la réception.

## Céleri

✓ Voici un vieux truc de grand-mère efficace. Le céleri a la propriété de soulager les rhumatismes. Faites bouillir un pied de céleri coupé en morceaux jusqu'à ce qu'ils soient mous. Conservez l'eau de cuisson filtrée au réfrigérateur. Buvez-en un demi-verre matin et soir.

## Chou vert

✓ On peut nettoyer un petit tapis avec un chou vert ! Frottez le tapis avec un demi-chou, ou râpez-en avant de le répandre sur la carpette. Retirez le chou au fur et à mesure que vous le verrez changer de couleur et qu'il aura absorbé les saletés. Laissez aérer et sécher le tapis durant quelques heures.

## Citron

✓ Pour une chevelure brillante et moins grasse, ajoutez du jus de citron à la dernière eau de rinçage. Il permet aussi aux enfants de conserver leur blondeur naturelle. Laissez agir 10 minutes avant de rincer.

✓ Vous pouvez retirer une gomme à mâcher emmêlée dans des cheveux en la frottant avec un chiffon imbibé de citron.

✓ Le jus de citron enlève les taches de nicotine sur les doigts et peut même atténuer les taches brunes causées par le soleil si on les frotte avec un mélange de sel marin et de jus de citron.

✓ Asséchez une peau grasse en préparant le masque suivant : mélangez 1 jaune d'œuf à quelques gouttes de jus de citron. Appliquez sur le visage en évitant le contour des yeux. Laissez reposer une quinzaine de minutes avant de rincer à grande eau.

✓ Il enlève aussi les taches de transpiration et de rouille et redonne leur blancheur aux vêtements jaunis.

Pour de meilleurs résultats, étendez les vêtements au soleil par la suite. Sur les vêtements de suède, le jus de citron enlève les taches grasses. Frottez-les délicatement, avec des mouvements circulaires. Il faut toujours bien rincer à l'eau claire par la suite.

✓ Une eau additionnée généreusement de jus de citron nettoie les meubles pâles en rotin et en osier.

✓ Le jus de citron peut soulager votre gorge irritée ou chasser un chat dans la gorge. Chauffez deux citrons au four durant une vingtaine de minutes ou au four à micro-ondes de cinq à sept minutes. Le jus des citrons épaissira légèrement. Pressez un peu de ce jus sur des carrés de sucre et utilisez-les pour retrouver la voix.

✓ Pour soulager les cors aux pieds, appliquez trois fois par jour quelques gouttes de jus de citron sur la partie endolorie. L'inflammation diminuera rapidement.

✓ Un verre d'eau additionné d'un peu de jus de citron soulage rapidement les nausées du matin.

✓ Quelques écorces de citron suspendues entre vos plants dans le jardin éloigneront les chats un peu trop gourmands.

✓ Si vous avez oublié de couvrir votre assiette avant de la déposer dans le four à micro-ondes et vous retrouvez des éclaboussures sur toutes les parois, faites chauffer de l'eau additionnée de jus de citron dans une tasse en pyrex, pendant quelques minutes. La vapeur couvrira l'intérieur du four, et vous n'aurez qu'à y passer un essuie-tout pour un nettoyage rapide.

✓ Redonnez une apparence propre à votre planche à découper qui a perdu sa blancheur d'origine. Frottez-la avec l'intérieur de l'écorce d'un citron et passez-la ensuite sous l'eau chaude. En séchant, elle redeviendra blanche.

✓ Pour éviter la formation de mauvaises odeurs dans votre humidificateur, ajoutez quelques cuillerées de jus de citron à l'eau que vous y versez.

✓ Le lait régurgité par les nouveau-nés tache les vêtements et dégage une odeur de suri. Pressez un citron sur la tache et laissez sécher au soleil avant de laver le vêtement avec votre détersif habituel.

✓ Pour nettoyer un chapeau de paille de couleur claire, frottez-le avec du jus de citron dilué dans la même quantité d'eau.

✓ Pour givrer les verres de sucre ou de sel selon les cocktails que l'on prépare, il suffit de tremper le bord du verre dans un peu de jus de citron et de l'enfoncer dans une soucoupe remplie de sucre ou de sel.

## Clous de girofle

✓ Les lépismes communément appelés poissons d'argent se logent dans les placards. Vous pouvez les éloigner en piquant quelques clous de girofle dans une orange ou un citron. Une fois le fruit séché, déposez-le dans vos penderies, et son arôme agréable repoussera les petites bêtes indésirables.

✓ Les clous de girofle ont aussi la propriété d'éloigner les mites des placards.

## Cola

✓ Vous pouvez enlever les taches de rouille sur le chrome et la corrosion sur les boulons en y versant un peu de boisson au cola. Laissez pétiller quelques minutes et essuyez.

✓ Les poils raidis de vieux pinceaux redeviennent souples après un bain de cola.

✓ Enlevez les taches dans la cuvette des toilettes en y versant un bon verre de cola. Laissez agir une heure ou deux. Actionnez la chasse d'eau après un bon coup de brosse.

✓ On peut nettoyer des vêtements tachés par la graisse en vidant une canette de cola dans la laveuse avec les vêtements. Ajoutez le détersif habituel et faites fonctionner au cycle régulier.

✓ Rien de mieux que cette boisson gazeuse pour enlever les taches laissées sur le pare-brise par les moustiques écrasés.

## Colorant alimentaire

✓ Vous désirez colorer un bouquet de fleurs blanches, ajoutez quelques gouttes de colorant alimentaire dans l'eau chaude avant d'y déposer le bouquet de fleurs.

## Concombre

✓ Le concombre rafraîchit et hydrate tous les types de peau. Mélangez un peu de yogourt nature à la pulpe des concombres

ou badigeonnez les tranches de concombre de yogourt avant de les appliquer sur la peau. Laissez pénétrer le masque une vingtaine de minutes.

## Contenants de lait et de jus

✓ Les contenants de jus ou de lait munis d'un bouchon hermétique sont parfaits pour congeler de l'eau. Ces briques de glace prennent plus de deux heures à fondre et sont tout à fait pratiques pour un pique-nique puisqu'ils se rangent très bien dans la glacière.

## Coquilles d'œufs

✓ Inutile de les jeter. Les coquilles d'œufs enrichissent la terre de votre jardin ou de vos plantes. Elles peuvent même chasser les limaces qui aiment bien envahir les choux, les oignons et les haricots. Répandez sur la terre du potager des coquilles d'œufs brisées grossièrement. Elles empêcheront les limaces de ramper jusqu'à la tige des plants.

✓ Écrasées, elles détachent miraculeusement les fonds de casserole collés ou les fonds de vases et carafes difficiles à nettoyer. Déposez les miettes de coquilles dans le vase et remplissez d'eau légèrement vinaigrée. Agitez vigoureusement ou, dans le cas des casseroles, frottez le fond avec une petite brosse.

✓ Si vous désirez blanchir un tissu jauni uniformément par les années, faites-le bouillir quelques minutes dans une marmite où vous aurez ajouté des coquilles d'œufs.

## Crème de tartre

✓ Excellente pour nettoyer les nappes usées et dont on ignore la provenance des taches. Vous devez les laisser tremper dans de l'eau chaude additionnée de 2 à 3 cuillerées à soupe de crème de tartre. Laissez agir une nuit avant de laver avec votre détergent habituel.

## Eau des pâtes

✓ L'eau de cuisson des pâtes alimentaires peut servir à empeser des napperons de dentelles. Vous n'avez qu'à les y plonger quelques minutes après avoir retiré les pâtes. Étendez votre dentelle sur une serviette éponge jusqu'à ce qu'elle soit bien sèche.

## Épinards

✓ Pour raviver le noir des lainages, faites-les tremper dans l'eau de cuisson des épinards. Retirez, bien sûr, les épinards, et conservez l'eau à la température de la pièce avant d'y plonger vos vêtements.

## Farine

✓ On peut nettoyer des gants de cuir blancs en les enfilant et en les frottant avec de la farine. Brossez-les délicatement.

✓ Faites briller les robinets de la salle de bains en les frottant avec un chiffon sec et de la farine.

✓ Voici une recette facile de pâte à modeler et qui se conserve dans un contenant hermétique.

250 ml (1 tasse) de farine blanche
60 ml (¼ tasse) de sel
30 ml (2 c. à soupe) de crème de tartre
250 ml (1 tasse) d'eau
15 ml (1 c. à soupe) d'huile végétale
Colorant alimentaire

Mélangez les ingrédients secs dans une casserole et ajoutez l'eau, l'huile et le colorant. Faites cuire à feu moyen de trois à cinq minutes ou jusqu'à la formation d'une boule. Pétrissez sur une surface légèrement enfarinée.

✓ On peut aussi fabriquer de la colle pour les bricolages des enfants.

Ajouter de l'eau à 125 ml (½ tasse) de farine, jusqu'à ce que le mélange ait une consistance crémeuse.

Faire cuire en laissant mijoter pendant cinq minutes tout en remuant à l'aide d'un fouet.

Cette colle est résistante et peut coller cartons, tissus et papiers.

On peut ajouter quelques gouttes de colorant alimentaire à la colle pour lui donner une couleur particulière.

✓ Pour éloigner les chats du jardin, mélangez 5 parts de farine, 3 parts de moutarde sèche, 2 parts de piment de Cayenne. Ajoutez de l'eau pour obtenir une bouteille de solution. Vaporisez aux endroits où les visiteurs vous incommodent.



## Fécule de maïs

✓ Pour nettoyer un toutou en peluche, saupoudrez-le de fécule de maïs. Faites bien pénétrer la fécule, qui absorbera les taches et le gras et terminez le lavage en brossant vigoureusement le toutou.

✓ Pour qu'un voilage blanc soit plus éclatant, ajoutez 30 ml (2 c. à soupe) de fécule de maïs à l'eau de rinçage.

✓ La fécule de maïs nettoie les abat-jour en papier ou en carton. Saupoudrez l'abat-jour et laissez reposer une nuit avant de brosser délicatement pour enlever l'excédent de poudre, puis nettoyez avec un linge humide.

✓ Vous pouvez enlever une tache de sang sur un matelas en préparant une pâte avec de la fécule de maïs et un peu d'eau. Étalez sur les taches et laissez sécher. Retirez la croûte d'amidon.

✓ 15 ml (1 c. à soupe) de fécule de maïs diluée dans 500 ml (2 tasses) d'eau devient un excellent empois qui vous permet d'empeser les vêtements. En ajoutant un peu de sel, on évite que l'eau amidonnée ne colle au fer à repasser. Vous pouvez conserver la solution dans une bouteille munie d'un vaporisateur, mais assurez-vous de bien la mélanger avant chaque utilisation.

## Fraise

✓ Si vous avez la peau grasse, réduisez des fraises en purée et ajoutez-les à un blanc d'œuf battu. Appliquez le masque sur le visage et laissez reposer avant de bien rincer à l'eau froide.

## Framboise

✓ Nettoyez votre peau et donnez-lui un coup d'éclat en préparant un masque à la framboise.

Écrasez des framboises mûres. Appliquez sur le visage et laissez agir une trentaine de minutes. Nettoyez et rincez avec une eau minérale.

✓ Vous pouvez aussi passer régulièrement sur votre visage un coton imbibé de jus de framboise pur, non sucré, pour retarder l'apparition des rides.

## Gélatine

✓ Préparez votre empois pour tissus délicats : mélangez un sachet de gélatine sans saveur à 500 ml (2 tasses) d'eau chaude. Laissez la gélatine se dissoudre complètement avant d'ajouter 1 l (4 tasses) d'eau. Laissez tremper quelques minutes dans cette solution les vêtements que vous désirez empeser.

## Glaçons

✓ Passez un glaçon sur la langue plusieurs fois avant d'avaler un médicament dont le mauvais goût vous rebute. Vous ne sentirez plus rien !

✓ Pour retirer une écharde sans douleur, il faut d'abord insensibiliser la peau en la frottant avec un glaçon. Après avoir désinfecté la plaie, faites un pansement avec de l'huile d'olive ; l'écharde sortira très facilement.

## Gomme à mâcher

✓ Un bouquet de fleurs se conservera plus long-temps si l'on met au fond du vase une tablette de gomme.

## Grains de maïs

✓ Si vous avez besoin d'une compresse froide pour soulager une blessure, soyez prévoyant et conservez un sac plastifié refermable rempli de grains de maïs soufflé. Il prendra la forme du membre mal en point.

## Graisse végétale

✓ Si vous êtes trop à l'étroit dans vos chaussures, vous serez plus à l'aise si vous étendez un peu de graisse végétale à l'intérieur pour les assouplir. Elles prendront ainsi la forme du pied.

## Gras

✓ Pensez aux petits oiseaux qui ont besoin de gras l'hiver pour surmonter le froid. Conservez le gras des viandes. Ajoutez-y quelques croûtons de pain rassis et formez une boule avec vos mains. Insérez-y un fil de fer ou un cordonnet. Placez cette boule au congélateur quelques jours avant de la suspendre à une branche d'arbre ou à votre balcon.

## Gruau

✓ Ajouté à l'eau du bain, le gruau a la propriété d'adoucir la peau.

## Huile de tournesol

✓ Fabriquez une bonne huile pour le bain en mélangeant à 250 ml (1 tasse) d'huile de tournesol, une vingtaine de gouttes d'huile essentielle. Fermez la bouteille hermétiquement. Attendez quelques jours avant d'utiliser l'huile parfumée. De 5 à 10 ml (1 c. ou 2 c. à thé) suffisent pour parfumer le bain.

## Huile d'olive

✓ Un bain d'huile d'olive tiède est un excellent fortifiant pour les ongles, mais elle peut aussi traiter votre chevelure. Massez bien votre cuir chevelu avec de l'huile d'olive. Enserrez les cheveux dans une serviette et dormez ainsi. Le lendemain, lavez les cheveux avec un shampooing. Ce traitement rendra vos cheveux souples et brillants.
✓ L'huile d'olive permet aussi de retirer rapidement un pansement collé à une plaie. Humectez le pansement d'huile d'olive. Laissez agir quelques minutes avant de le retirer.
✓ Pour éviter la formation de rouille dans les chaudrons et les poêlons de fonte, frottez-les avec un essuie-tout imbibé d'huile d'olive.

✓ Pour rendre son brillant à l'acier inoxydable, frottez-le avec un chiffon imbibé de quelques gouttes d'huile d'olive.

✓ Pour conserver en bon état les ustensiles de bois, il ne faut jamais les laver au lave-vaisselle ; enduisez-les régulièrement d'huile d'olive.

✓ Époussetez les meubles de bois avec un chiffon humecté de quelques gouttes d'huile d'olive mélangées à 30 ml (2 c. à soupe) de jus de citron. Ce mélange enlève la poussière et donne un fini lustré au bois.

✓ On peut ramollir la terre sèche d'une plante d'intérieur en ajoutant quelques gouttes d'huile d'olive et en mélangeant bien la terre.

## Huile végétale

✓ Les carottes ont le don de tacher certaines pièces du robot culinaire. Après utilisation, essuyez celui-ci avec un essuie-tout imbibé d'huile végétale. Tout redeviendra propre.

✓ Une clé vaporisée d'huile végétale tournera plus facilement dans la serrure.

✓ Un petit jet d'huile en aérosol sur les charnières des portes fera taire les vilains grincements.

✓ Éliminez le problème des récipients en plastique tachés par la sauce à spaghetti lors de la congélation. Avant d'y déposer la sauce, vaporisez généreusement l'intérieur du pot avec de l'huile.

✓ Lorsque le bois d'une planche à découper devient mat et sec, frottez-la avec de l'huile végétale jusqu'à ce que l'huile pénètre bien le bois.

✓ Vaporisez de l'huile sur les vitres de vos fenêtres avant de les décorer avec de la neige artificielle. Le nettoyage se fera plus rapidement.

✓ Si vous pelletez de la neige très collante, un bon jet d'huile végétale sur votre pelle vous évitera des efforts inutiles, car la neige n'y collera pas.

✓ Avant de partir pour un long trajet, vaporisez de l'huile en aérosol sur le pare-chocs de la voiture, les insectes n'y adhéreront pas.

✓ Vaporisez de l'huile végétale sur le goulot des bouteilles de ketchup, sirop, miel, etc., pour des bouchons qui tournent bien sans être tout gommés.

## Jus de tomates

✓ On peut enlever les taches d'encre avec du jus de tomates. Elles partiront rapidement.

✓ Si vous avez eu la malchance d'être aspergé par une mouffette, le jus de tomates atténue l'odeur désagréable. Le jus de tomates est aussi efficace pour laver les animaux dans les mêmes circonstances.

✓ On enlève les taches de rouille sur les mains en les frottant avec du jus de tomates.

## Ketchup

✓ On nettoie rapidement un bijou ou un objet en cuivre en le frottant avec du ketchup en bouteille.

## Kiwi

✓ Des tranches de kiwi éclaircissent le teint, notamment lorsque la peau est épaisse et manque de fermeté.

✓ Le chou rouge tache rapidement les mains et vous pouvez faire disparaître ces vilaines marques en les frottant avec une tranche de kiwi.

## Lait

✓ Voilà un produit reconnu pour adoucir la peau. Ajoutez une bonne quantité de lait en poudre à l'eau du bain pour une détente qu'aurait enviée Cléopâtre.
✓ Un bon verre de lait chaud additionné de 5 ml (1 c. à thé) de glycérine diminue les quintes de toux.
✓ Le lait est aussi excellent pour les plantes d'intérieur. Lavez occasionnellement les feuilles avec un chiffon de coton imbibé de lait.
✓ Le lait chaud enlève les taches d'encre sur les lainages, que vous devez faire tremper jusqu'à ce qu'elles disparaissent. Lavez ensuite dans une eau savonneuse. Rincez.
✓ Il peut aussi enlever une tache de sauce tomate sur un tapis. Versez un verre de lait lentement sur la tache. Nettoyez le tout avec du papier absorbant.
✓ Un bain de lait écrémé est excellent pour la lingerie. Faites-la tremper environ 30 minutes avant de la laver à l'eau tiède avec un savon doux. Rincez à l'eau froide.
✓ On peut blanchir les rideaux de tergal ou de dentelle en ajoutant à la dernière eau de rinçage 250 à 500 ml (1 à 2 tasses) de lait en poudre. Laissez

tremper quelques minutes et suspendez les rideaux pour les faire sécher.

✓ Si un chemisier de soie blanche a tendance à jaunir, ajoutez à l'eau de rinçage 30 ml (2 c. à soupe) de lait ou une pincée de lait en poudre.

✓ Pour enlever les lignes des plis jaunies d'un tissu qui a été remisé quelques années, imbibez les plis avec du lait. Séchez au soleil avant de laver avec votre détersif habituel.

✓ On enlève les taches sur les chaussures de cuir verni en les frottant tout simplement avec une éponge imbibée de lait écrémé tiède.

✓ Les bottes de caoutchouc redeviendront brillantes si on les frotte avec un chiffon imbibé de lait.

✓ Éliminez les odeurs de renfermé qui émanent souvent d'un vieux meuble en plaçant un verre de lait bouillant à l'intérieur et en refermant les portes ou les tiroirs. Une fois le lait refroidi, les odeurs auront disparu.

✓ Faites briller bijoux et argenterie : trempez-les dans du lait suri quelques minutes et polissez-les avec un chiffon doux. Pour faire surir le lait, ajoutez-y quelques gouttes de jus de citron.

✓ Soulagez la douleur des piqûres d'insectes, notamment celles de l'abeille et du taon, en déposant sur l'enflure une débarbouillette imbibée de lait.

## Mayonnaise

✓ Faites disparaître les cernes blancs laissés par l'eau sur un meuble, en les frottant avec un linge doux et de la mayonnaise.

✓ On peut aussi faire disparaître les brûlures de cigarettes sur un meuble de bois en frottant les marques avec un peu de mayonnaise. Laissez agir une vingtaine de minutes avant de bien polir.

✓ Donnez un traitement à vos cheveux secs en appliquant une bonne quantité de mayonnaise. Recouvrez d'une pellicule plastique pendant une vingtaine de minutes avant de rincer et de laver vos cheveux avec votre shampooing habituel.

## Menthe

✓ Pour éliminer une odeur de petits pieds... frottez vos pieds avec des feuilles de menthe fraîches après un bon bain.

## Mie de pain

✓ Après avoir nettoyé avec un produit approprié la vitre d'un cadre, frottez-la avec de la mie de pain blanc. Elle sera plus claire et se salira beaucoup moins rapidement.

✓ Lorsque vous effectuez un travail de soudure, utilisez du pain pour faire un bouchon dans le tuyau à réparer et pour éponger les gouttes d'eau. Une fois le travail terminé, l'eau recommencera à circuler dans les tuyaux et le pain se désagrégera.

✓ On peut faire disparaître les taches de gras sur les pages d'un livre ou sur le papier peint en frottant tout simplement avec de la mie de pain. On peut aussi nettoyer les tranches des livres empoussiérées avec de la mie de pain.

✓ On nettoie les vieilles photographies avec de la mie de pain pour enlever les traces de doigts et la poussière.

✓ Si quelques gouttes d'huile d'olive tombent sur votre cravate ou votre chemisier au restaurant, prenez un morceau de pain et posez la mie sur la tache qui absorbera une bonne quantité de liquide. La tache deviendra moins apparente et sera plus facile à faire disparaître au lavage.

## Miel

✓ Pour faire disparaître les petites peaux mortes sur le visage, particulièrement sur les ailes du nez, frottez doucement l'épiderme une fois par semaine, en effectuant des mouvements circulaires, avec un miel granuleux.

## Moutarde sèche

✓ Une pincée de moutarde ajoutée à l'eau d'arrosage de vos plantes élimine les vers dans la terre des plantes vertes d'intérieur.

✓ On élimine les mauvaises odeurs d'un tuyau d'évier en y saupoudrant de la moutarde sèche. Laissez reposer avant de faire couler l'eau abondamment.

✓ Si vous avez toujours les pieds gelés, le soir, prenez un bain de pieds dans lequel vous ajoutez 5 ml (1 c. à thé) de moutarde sèche à l'eau chaude. Prenez le temps d'enfiler des bas de laine avant de vous coucher. Vous conserverez la chaleur de votre corps durant le sommeil, et vos pieds se refroidiront beaucoup moins rapidement au cours de la journée.

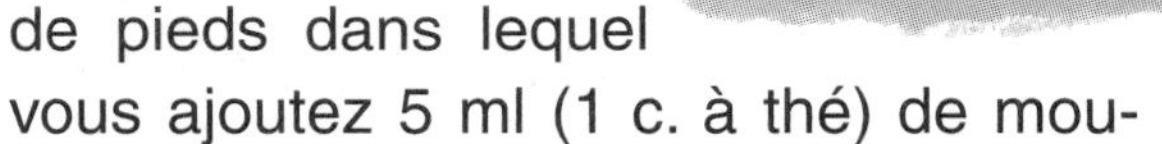

## Œufs

✓ Préparez un shampooing maison pour faire reluire votre chevelure. Mélangez un jaune d'œuf et un peu de rhum et frottez allègrement vos cheveux.

✓ Vous pouvez aussi remédier à un problème de cheveux cassants en mélangeant dans un bol non métallique et avec une cuillère de bois, les ingrédients suivants : un jaune d'œuf, 10 ml (2 c. à thé) de miel liquide et 5 ml (1 c. à thé) d'huile d'olive. Appliquez le mélange sur les pointes de vos cheveux et recouvrez le tout d'une serviette éponge chaude. Laissez agir une vingtaine de minutes avant de laver votre chevelure.

✓ Vous pouvez fabriquer une colle qui se conserve quelques jours dans un contenant fermé en mélangeant un blanc d'œuf et des coquilles d'œufs. Utilisez un mélangeur pour obtenir une pâte onctueuse.

✓ Si vous avez peur de vous étouffer, car vous sentez une arête de poisson coincée dans votre gorge, avalez un œuf cru. Vous avez de bonnes chances que l'arête glisse sans dommage.

✓ Enlevez une tache ancienne de café sur une nappe en délayant un jaune d'œuf dans un peu d'eau tiède. Étalez ce mélange sur la tache et laissez reposer ; rincez ensuite à l'eau tiède et tamponnez pour accélérer le séchage.

✓ Si les marques de boue sur un vêtement résistent au lavage, appliquez un jaune d'œuf sur les taches et lavez de nouveau le vêtement.

✓ L'eau dans laquelle ont bouilli des œufs à la coque est un excellent engrais pour les plantes puisqu'elle est riche en sels minéraux. Laissez-la bien refroidir avant d'arroser vos plantes.



## Oignons

✓ Les oignons sont un excellent décongestionnant pour les sinus. Préparez le sirop suivant : amenez à ébullition deux gros oignons coupés en petits morceaux dans 375 ml (1½ tasse) d'eau. Faites mijoter deux heures à feu doux. Coulez le jus. Laissez refroidir et buvez à petites gorgées cette potion magique que vous trouverez légèrement sucrée.

✓ Un oignon saupoudré de sucre en poudre fait disparaître les taches de rouille sur les ustensiles de cuisine métalliques.

✓ En frottant un oignon coupé sur les vitres, vous éviterez les taches de peinture lors des gros travaux.

✓ Si l'odeur de la peinture vous incommode, placez un oignon dans un bol d'eau au centre de la pièce que vous peignez.

✓ De la dentelle trempée dans une décoction de pelure d'oignon deviendra d'un jaune ensoleillé.

✓ En cas de piqûre de guêpe, enlevez le dard avec une pince à épiler. Couvrez ensuite la blessure d'une rondelle d'oignon.

## Pain

✓ Si vous n'avez pas de goupillon (brosse) sous la main pour nettoyer un biberon, émiettez une demi-tranche de pain. Mettez les miettes dans la bouteille que vous remplissez d'eau chaude. Agitez et rincez.

## Pamplemousse

✓ L'eau dure laisse souvent des cernes blanchâtres sur les verres. Vous pouvez les faire disparaître en remplissant le verre ou le vase avec de l'eau chaude. Ajoutez la pelure d'un pamplemousse. Laissez reposer une journée avant de laver de nouveau dans une eau chaude savonneuse.

## Papier ciré

✓ Frottez les aiguilles à tricoter ou les crochets qui ne glissent plus très bien avec une feuille de papier ciré. Ils seront comme neufs.

## Papier d'aluminium

✓ Couvrez la planche à repasser d'une feuille de papier d'aluminium, sous la housse, pour augmenter la chaleur et faciliter le repassage.

## Pêche

✓ Voici un masque gagnant pour les peaux grasses. Écrasez la pulpe de quelques pêches que vous mélangez bien à un peu de jus de pêche. Appliquez sur le visage et le cou. Laissez agir pendant 30 minutes avant de rincer avec une eau minérale. Ce masque purifie la peau.

## Perrier

✓ Redonnez de la brillance à une chevelure en bonne santé en versant une bonne quantité d'eau minérale sur les cheveux après le shampooing et le rinçage. Les écailles se refermeront instantanément et vos cheveux seront bien brillants après le coiffage.

## Piment de Cayenne

✓ Si vous soupçonnez la présence de souris dans un coin de la maison, vous pouvez bien sûr les attirer avec des pièges agrémentés de beurre d'arachide ou de fromage. Par contre, en saupoudrant allègrement les environs de l'endroit où vous pensez qu'elles se cachent avec du piment de Cayenne, vous les verrez déguerpir à toute vitesse.

## Poireau

✓ Des feuilles de poireau broyées soulagent les démangeaisons dues aux piqûres d'insectes.

✓ On peut aussi nettoyer une pièce en étain avec la partie verte des poireaux.

## Pomme

✓ Préparez un masque antirides en mélangeant la pulpe râpée d'une pomme à une cuillerée de miel. Gardez le masque sur le visage et le cou de 20 à 30 minutes. Bien rincer à l'eau tiède.

✓ Si vous avez de petits vers dans vos plantes, déposez quelques rondelles de pomme crue sur la terre. Les insectes, attirés par l'odeur, s'y glisseront. Jetez les morceaux tous les jours et vous serez débarrassé des intrus.

## Pomme de terre

✓ Une brûlure sur la langue sera atténuée si vous la frottez avec une tranche de pomme de terre crue. Répétez au besoin l'opération avec un nouveau morceau de pomme de terre.

✓ L'eau ayant servi à la cuisson de pommes de terre est excellente pour le feuillage de vos plantes. Il faut bien sûr ne l'utiliser qu'une fois bien refroidie.

✓ Les dépôts calcaires disparaîtront des casseroles si vous faites bouillir, pendant une heure, de l'eau dans laquelle vous aurez ajouté des pelures de pommes de terre. Jetez l'eau de cuisson et rincez à l'eau froide.

✓ Si vous possédez un poêlon en fonte rouillé et qui dégage une odeur de renfermé, remplissez-le de pelures de pommes de terre. Couvrez d'un peu d'eau et placez le tout dans le four à 200 °C (400 °F). Amenez à ébullition. Retirez le poêlon du four. Rincez et lavez ensuite avec du liquide à vaisselle. Il n'y aura plus aucune trace de rouille, et toutes les odeurs auront disparu.

✓ Redonnez du lustre à l'étain terni en le frottant avec une pomme de terre crue. Polissez ensuite avec un chiffon de laine.

✓ Pour que le cristal brille, frottez-le avec un morceau de pomme de terre crue, puis essuyez-le avec un chiffon doux. On peut aussi redonner son éclat au cristal ou à un contenant de verre en remplissant le pot de pelures de pommes de terre et en ajoutant de l'eau. Laissez macérer le tout pendant quatre jours, puis rincez le récipient.

✓ Si, à force de les brasser, vos cartes ont pris un sale coup, détachez-les avec une pomme de terre coupée en deux, que vous passez délicatement sur les cartes. Essuyez-les avec un chiffon propre. Si les cartes ont de la difficulté à glisser, saupoudrez-les tout simplement de talc.

✓ Si vos chaussures sont trop justes, déposez dans chacune une pomme de terre crue et pelée qui épouse le bout de la chaussure, puis bourrez-les de papier journal. L'humidité dégagée par la pomme de terre permettra d'élargir les chaussures.

✓ Pour éviter de glisser lorsque vous portez vos chaussures pour la première fois, frottez la semelle de cuir avec une pomme de terre crue.

✓ La pomme de terre attire les cloportes et les poissons d'argent. Coupez une pomme de terre en deux, évidez-la et placez-la, côté chair vers le bas, dans un sac de plastique. Déposez celui-ci, ouvert, dans un coin ; le lendemain, vous n'aurez qu'à refermer le sac et à le jeter. Changez la pomme de terre et recommencez chaque jour.

## Riz

✓ Si vous n'avez pas de goupillon sous la main pour nettoyer un biberon, versez de l'eau savonneuse dans le biberon, ajoutez une poignée de riz, fermez et agitez le tout. Rincez abondamment.

✓ L'eau de riz est excellente pour donner un peu de tenue à des dentelles molles et indisciplinées.

✓ Votre bouche est en feu après la dégustation d'un plat pimenté ! Évitez l'eau et chassez l'effet du piment en mangeant lentement du riz blanc.

✓ Glissez une poignée de riz cru dans la caisse d'une guitare pour la nettoyer. Agitez celle-ci dans tous les sens. Le riz deviendra rapidement noir. Jetez les grains et mettez-en d'autres. Répétez l'opération jusqu'à ce que le riz ressorte bien blanc de l'instrument.

## Sel

✓ On peut éliminer les mauvaises herbes et la mousse qui poussent entre les dalles en les arrosant avec une eau fortement salée. Utilisez du sel à marinades pour saler l'eau.

✓ 125 ml (½ tasse) de sel ajouté à l'eau de la lessive, avec le détergent, assouplit les jeans neufs et rigides.

✓ Le sel a aussi la propriété de fixer les couleurs. Par exemple pour les jeans, faites-les tremper une douzaine d'heures dans de l'eau froide très salée lors du premier lavage à la main. La couleur sera fixée beaucoup plus longtemps.

✓ Les appliques apposées au fer chaud résisteront plus longtemps au lavage si vous faites tremper le vêtement dans une eau froide salée. Laissez-le sécher et repassez-le de nouveau.

✓ On peut raviver les couleurs fades d'une tapisserie ou d'un tableau aux petits points encadré depuis un bon moment. Passez du sel mouillé, en frottant légèrement avec la paume de votre main, sur le fil à broder ou la laine. Laissez sécher et passez l'aspirateur pour enlever tout résidu séché.

✓ Les contenants de plastique devenus gluants avec les années se nettoient facilement si vous les laissez tremper toute une nuit dans de l'eau fortement salée.

✓ Pour empêcher une bougie de couler, déposez quelques grains de sel autour de la mèche.

✓ Si un feu de graisse se produit sur la cuisinière, ne jetez jamais d'eau dessus : cela risque de l'activer. Utilisez plutôt votre réserve de sel de table pour étouffer la flamme.

✓ On peut rafraîchir rapidement le vin blanc en ajoutant tout simplement une poignée de gros sel dans le seau à glace.

✓ Le gros sel mélangé au vinaigre chaud enlève les cernes jaunâtres laissés par le calcaire dans la cuvette des toilettes.

✓ On peut enlever la rouille sur un vieux vélo en préparant une pâte avec 90 ml (6 c. à soupe) de sel et 30 ml (2 c. à soupe) de jus de citron. Frottez la rouille avec un linge sec et cette pâte. Rincez et asséchez le vélo.

✓ Pour prévenir les maux de gorge, gargarisez-vous matin et soir avec de l'eau salée.

## Spaghetti

✓ Pour allumer les trop nombreuses bougies d'un gâteau d'anniversaire, ou encore une lampe ou un lampion dont la mèche est difficile à atteindre, utilisez un spaghetti non cuit qui remplacera avantageusement la petite allumette qui risquerait de vous brûler les doigts.

## Sucre

✓ Il est important que la cafetière ou la théière soit toujours très propre. Si elle sent le renfermé parce que vous ne l'utilisez pas régulièrement, placez un morceau de sucre à l'intérieur.

✓ Une fêlure dans un pot en poterie peut se dissimuler. Il suffit de dissoudre une cuillerée de sucre dans quelques gouttes d'eau bouillante pour obtenir un sirop dont vous badigeonnerez la fêlure (à l'intérieur du pot). Laissez sécher sans essuyer.

✓ Pour empeser une dentelle, ajoutez un peu de sucre dans l'eau de rinçage et séchez à plat.

✓ Saupoudrez de sucre les taches d'herbe sur le vêtement. Laissez reposer une heure avant de laver avec un bon détergent.

✓ Prolongez la vie de votre sapin naturel en ajoutant régulièrement une pincée de sucre à l'eau d'arrosage.

✓ Soulagez votre hoquet en trempant un carré de sucre dans une cuillerée de vinaigre et croquez-le lentement.

## Sucre en poudre

✓ Votre hoquet disparaîtra par magie si vous avalez rapidement une cuillerée de sucre en poudre.

## Tapioca

✓ Vous obtenez une colle sans danger pour le bricolage des enfants en mélangeant un peu d'eau et du tapioca instantané.

## Thé

✓ Pour arrêter le saignement après l'extraction d'une dent, déposez un sachet de thé humide sur la plaie. Laissez agir quelques minutes avant de le retirer.
✓ Soulagez un mal de gorge en buvant une tasse de thé bien froid, additionné d'une bonne dose de miel.
✓ Ne jetez plus le thé que vous n'aurez pas bu. Arrosez-en la terre des plantes. Il leur servira de tonique. Les feuilles de thé peuvent aussi être ajoutées à la terre.
✓ Un nettoyage avec un chiffon imbibé de thé bouilli refroidi redonne aux miroirs tout leur éclat.

## Thym

✓ Si vous avez tendance à avoir les mains moites, faites-les tremper dans une infusion de thym.

## Vanille

✓ Sous l'impact d'un choc, la peau a tendance à bleuir rapidement. Frottez la région meurtrie avec de l'essence de vanille. Véritable miracle… votre ecchymose sera beaucoup moins apparente au cours des prochains jours.

✓ On élimine une odeur de renfermé dans un frigo ou une odeur tenace d'aliments dans un récipient en imbibant une ouate d'essence de vanille. Déposez-la dans le contenant à désodoriser. Laissez agir pendant une douzaine d'heures.

## Vinaigre

✓ Un cycle court avec un peu de vinaigre nettoie parfaitement le lave-vaisselle.

✓ Pour désodoriser le four à micro-ondes, il suffit d'y faire bouillir 250 ml (1 tasse) d'eau additionnée de 60 ml (¼ tasse) de vinaigre.

✓ Pour nettoyer en profondeur votre machine à laver et en éliminer les mauvaises odeurs, versez 2 tasses (500 ml) de vinaigre blanc dans le tambour, déposez une serviette de plage à l'intérieur et faites tourner au cycle rinçage.

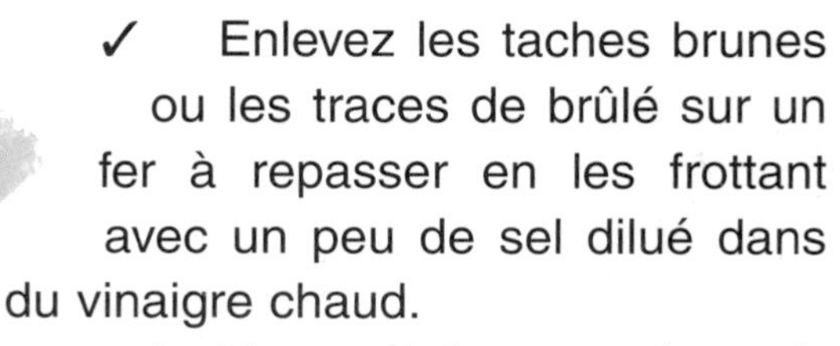

✓ Enlevez les taches brunes ou les traces de brûlé sur un fer à repasser en les frottant avec un peu de sel dilué dans du vinaigre chaud.

✓ Vous éloignerez les pigeons en vaporisant le contour du balcon ou le rebord des fenêtres avec du vinaigre blanc pur. Vous devez répéter l'opération pendant quelques jours avant de voir les intrus délaisser votre environnement.

✓ Vous pouvez éliminer les mauvaises herbes entre les dalles du patio en les aspergeant de vinaigre pur.

✓ Un bain dans du vinaigre chaud rajeunira vos vieux pinceaux qui n'ont pas bien été nettoyés lors des derniers travaux.

✓ Quand la colle blanche prend une consistance épaisse dans la bouteille, versez-y une petite quantité de vinaigre. Agitez.

✓ Le vinaigre se révèle un détachant efficace pour les fonds de casserole noircis. Couvrez-en le fond et attendez une douzaine d'heures ; la croûte carbonisée se détachera facilement.

✓ Les taches de fraises sur les mains et les ongles disparaissent en les frottant avec un peu de vinaigre.

✓ Enlevez l'odeur des contenants plastifiés ou des pots de verre que vous désirez conserver en les lavant dans une eau vinaigrée. Si l'odeur persiste, déposez un essuie-tout dans le contenant vide, fermez-le hermétiquement et retirez la feuille de papier absorbant après une journée.

✓ Les traces blanchâtres que laissent certains détersifs sur les vêtements disparaîtront avec une eau fortement additionnée de vinaigre.

✓ Si vous ne pouvez utiliser d'assouplisseur liquide ou en feuilles, au moment du rinçage, ajoutez 60 ml (¼ tasse) de vinaigre blanc. N'ayez crainte, les vêtements ne dégageront pas d'odeur aigre.

✓ Si vous n'aimez pas l'odeur laissée par l'eau de Javel dans votre lessive, ajoutez du vinaigre pour la neutraliser.

✓ Enrayez l'odeur d'urine imprégnée dans des vêtements en les laissant tremper dans une eau fortement additionnée de vinaigre. Lavez ensuite les vêtements avec le détergent habituel.

✓ Le vinaigre désincruste le pommeau de douche de tous les petits dépôts de calcaire. Il suffit de le laisser tremper dans un bol de vinaigre tiède.

✓ Pour enlever un vieux décalque endommagé sur un vêtement, frottez-le à l'aide d'un pinceau avec du vinaigre chaud et laissez pénétrer. Le décalque partira facilement au lavage.

✓ Si votre maison est envahie par de mauvaises odeurs, faites immédiatement bouillir un peu de vinaigre blanc dans une casserole sans couvercle. L'odeur se dissipera aussitôt. Surveillez de près la casserole, car le vinaigre, très volatile, s'évapore rapidement.

✓ Si vous avez mis trop de savon dans votre machine à laver et que la mousse commence à déborder, versez un verre de vinaigre dans la lessiveuse. Vous verrez la mousse se dissiper.

## Vinaigre de cidre

✓ Si l'odeur de transpiration de vos pieds vous dérange, réglez le problème en les baignant deux fois par jour dans une eau tiède à laquelle vous aurez ajouté 30 ml (2 c. à soupe) de vinaigre de cidre. Recouvrez bien vos pieds d'eau et laissez-les « mariner » une dizaine de minutes.

✓ Remédiez à un problème de cuir chevelu gras en préparant cette potion pour rincer vos cheveux. Amenez 250 ml (1 tasse) de vinaigre de cidre à ébullition. Ajoutez 30 ml (2 c. à soupe) de sauge fraîche. Laissez la mixture refroidir. Couvrez et laissez reposer 1 semaine dans un endroit sombre. Filtrez et ajoutez exactement la même quantité d'eau. À utiliser en rinçage final de votre chevelure.

## Vin rouge

✓ Vos plantes peuvent profiter d'un fond de vin rouge ou d'un vin bouchonné que vous alliez verser dans l'évier. Ajouté à l'eau d'arrosage, le vin rouge est un excellent tonique pour vos plantes.

## Yogourt

✓ Le yogourt nature mélangé à de la crème fraîche devient un excellent masque de beauté. Appliquez sur le visage et laissez agir 15 minutes. Rincez à fond pour retrouver une peau lisse et fraîche.

✓ Pour éliminer les pellicules, versez un petit pot de yogourt nature sur le cuir chevelu. Massez pour bien répartir le mélange et laissez reposer 30 minutes. Rincez les cheveux et répétez le traitement pendant quelques semaines.

✓ Une cuillerée de yogourt diminue la sensation de brûlure dans la bouche que vous ressentez après avoir mangé un mets très épicé.

✓ Si vous désirez activer la formation de mousse entre les pierres de votre rocaille, badigeonnez la terre entre les pierres avec un pinceau enduit de yogourt.

## Partie 3

# Le vocabulaire culinaire simplifié

Il nous arrive d'hésiter devant un terme en lisant une recette et d'avoir envie de tout abandonner de peur de se tromper. Pour vous aider, voici un résumé des principaux termes culinaires qui vous dépannera en plus de répondre à vos questions.

## A

**Abaisser :** étendre une pâte à l'aide d'un rouleau à pâtisserie. L'abaisse est le terme pour la partie de pâte aplatie.

**Abatis :** tous les abats de volaille, donc foie, rognons, cœur.

**Aciduler :** ajouter une faible partie de vinaigre ou de citron pour rendre acide une préparation.

**Aiguillettes :** tranches fines et longues découpées dans le blanc d'une volaille.

**Allonger :** ajout d'un liquide quelconque pour allonger par exemple une sauce trop épaisse.

**Appareil :** mélange de plusieurs substances devant servir à la préparation d'un mets.

## B

**Badigeonner :** à l'aide d'un pinceau, enduire un aliment de beurre fondu, d'œuf battu, etc.

**Bain-marie :** récipient servant à la cuisson qu'on dépose dans une casserole ou une marmite remplie d'eau bouillante.

**Barder :** envelopper une pièce de viande de minces tranches de lard.

**Battre :** mouvement en rotation du fond du bol vers le haut pour ramener sur le dessus ce qui était au fond, tout en faisant pénétrer l'air dans la préparation.

**Beurre manié :** beurre additionné de farine qui sert à épaissir les sauces et ragoûts.

**Blanchir :** chauffer, plus ou moins longtemps, dans une eau bouillante, certains aliments avant de les refroidir rapidement à l'eau froide pour arrêter la cuisson et fixer la couleur.

**Bleu :** stade de cuisson pour les viandes rouges qui signifie « à peine cuit » ou saignant.

**Blondir :** faire chauffer des oignons hachés, par exemple, dans un beurre jusqu'à l'obtention d'une coloration dorée.

**Bouquet garni :** plantes aromatiques liées par une ficelle. On utilise principalement une branche de céleri, du persil, du thym, du laurier et du poireau.

**Braiser :** cuire lentement dans un contenant fermé dans un jus ou un bouillon.

**Brider :** opération servant à ficeler une volaille afin d'éviter sa déformation pendant la cuisson.

**Brunoise :** découpe de légumes en très petits dés.

## C

**Chemiser :** tapisser le fond et les parois d'un moule d'un mélange quelconque, de pâte ou de biscuits, par exemple. On peut aussi chemiser un moule beurré d'une feuille de papier.

**Chinois :** passoire très fine, souvent en forme de cône.

**Ciseler :** tracer des lignes en biais, par exemple sur les saucisses, afin qu'elles ne se déchirent pas durant la cuisson.

**Concasser :** hacher, piler ou écraser grossièrement.

**Corser :** ajouter à une sauce un condiment épicé, tel que le safran et le piment de Cayenne, ou un soupçon d'alcool, comme du vin, du sherry ou du cognac.

**Coulis :** sauce obtenue par des aliments cuits ou crus passés au tamis.

**Court-bouillon :** bouillon fait à partir de légumes, d'ail et de bouquet garni réduit. On l'utilise pour la cuisson des viandes et des poissons.

**D**

**Darne :** tranche assez épaisse de poisson.

**Décanter :** transvaser doucement un liquide afin de laisser le dépôt au fond du récipient.

**Déglacer :** verser rapidement un peu de liquide, par exemple du vin, dans le poêlon dans lequel on a fait sauter de la viande, de la volaille, des oignons ou tout autre aliment afin de dissoudre rapidement les sucs caramélisés et de préparer une sauce d'accompagnement.

**Dégorger :** faire tremper un aliment, par exemple des rognons ou des ris de veau, dans de l'eau froide ou dans de l'eau vinaigrée pour éliminer les impuretés et le sang.

**Délayer :** mélanger une substance solide à du liquide.

**Dessaler :** enlever l'excès de sel en plongeant, par exemple, un jambon, dans de l'eau froide.

**Détremper une pâte :** ajouter l'eau nécessaire pour mouiller la pâte en la malaxant du bout des doigts sans trop la travailler. Une détrempe est le mélange de farine, de graisse et d'eau qui sert à la préparation d'une pâtisserie.

**Dorer :** à l'aide d'un pinceau, enduire le dessus d'une pâtisserie, par exemple, une tarte, de jaune d'œuf afin d'obtenir une belle couleur dorée au moment de la cuisson.

**Dresser :** disposer harmonieusement des aliments dans un plat ou une assiette pour obtenir un coup d'œil appétissant.

## E

**Écailler :** enlever les écailles d'un poisson.

**Écaler :** enlever la coquille, par exemple d'un œuf dur.

**Écumer** : à l'aide d'une écumoire ou d'une cuillère, ôter l'écume qui se forme à la surface d'un liquide ou d'une préparation qui est en train de cuire. On écume des confitures, par exemple.

**Effiler :** couper les extrémités des haricots et en retirer les fils. En coupant les amandes en fines lamelles, on les effile.

**Émincer :** couper en tranches minces des légumes ou de la viande.

**Emporte-pièce :** instrument en métal ou en plastique servant à découper la pâte comme celle des biscuits.

**Émulsion :** corps gras liquide en suspension dans un autre liquide qu'on obtient après un fouettage énergique. Par exemple : la mayonnaise.

**Épépiner :** enlever les pépins d'un fruit ou d'un légume.

**Épices :** quand on parle de quatre épices (all spice) dans une recette, on fait allusion à la cannelle, au clou de girofle, à la muscade, au poivre et parfois à une cinquième : le gingembre.
**Escalopes :** tranches très minces de viande.
**Étamine :** étoffe qui sert à tamiser les sauces et les gelées.
**Étouffée :** cuisson dans un récipient fermé hermétiquement, qui empêche l'évaporation.

F

**Farce :** préparation composée d'aliments hachés et amalgamés qu'on utilise pour garnir l'intérieur des viandes et des poissons.
**Foncer :** garnir le fond d'un moule de pâte ou de bandes de lard.
**Fond :** bouillon provenant de la cuisson de la carcasse d'une volaille ou d'os. Une coloration des éléments de base est nécessaire avant de préparer un fond brun. On obtient un fond blanc en plongeant tout simplement les ingrédients dans l'eau, sans les faire dorer.
**Fondre :** cuire doucement dans du beurre des légumes émincés en julienne ou en brunoise.
**Fontaine :** tas de farine au centre duquel on creuse un puits pour y intégrer les autres éléments qui composent la pâte.
**Fouetter :** battre rapidement tout en faisant pénétrer l'air dans la préparation.
**Frémir :** chauffer un liquide jusqu'à ce qu'il soit sur le point de bouillir.

**Fumet :** bouillon obtenu par la cuisson de parures de poissons ou de parures et carcasses de gibier.

## G

**Garnir :** remplir d'une préparation. La garniture est la combinaison de certains ingrédients qui accompagnent une autre préparation.

**Glacer** : couvrir un mets, un jambon ou un gâteau par exemple, de jus, de sirop épais ou de gelée.

**Graisser :** étaler un corps gras sur une plaque à cuisson ou à l'intérieur d'un moule pour en faciliter le démoulage.

**Gratiner :** mettre au four un mets qui a été saupoudré de chapelure ou de fromage afin de lui donner une couleur dorée.

## H

**Habiller :** vider et nettoyer une volaille ou un poisson.

## I

**Imbiber :** humecter une préparation d'un sirop alcoolisé, de lait, etc., afin de la parfumer.

**Infuser :** verser de l'eau bouillante sur une substance végétale afin d'en extraire toutes les saveurs.

## J

**Jardinière :** mélange de plusieurs légumes coupés en bâtonnets liés avec du beurre.

**Julienne :** légumes ou viandes coupés en fines lanières.

## L

**Larder :** piquer ou traverser une viande ou une volaille pour y insérer de petits lardons.

**Lardons :** morceaux de lard coupés en dés que l'on fait blanchir ou rôtir et que l'on ajoute à certaines préparations.

**Lever :** pour une pâte, augmenter de volume sous l'effet de la fermentation.

**Liaison :** augmentation de l'onctuosité d'une sauce ou d'un potage.

**Lier :** épaissir une sauce avec de la farine, de la fécule, de la crème, du beurre manié.

## M

**Macérer :** laisser tremper des fruits dans un liquide ou un alcool souvent additionné de sucre pour permettre l'imprégnation des parfums.

**Maïzena :** dans la famille des fécules de maïs, la maïzena sert à lier les sauces et les coulis.

**Manier :** travailler du beurre dans tous les sens pour bien le mélanger à de la farine.

**Mariner :** mettre des légumes ou des viandes dans un liquide, une marinade, du vinaigre, du vin pour attendrir l'aliment et lui donner un arôme ou un goût particulier.

**Masquer :** couvrir un mets d'une substance quelconque (comme couvrir un gâteau de crème).

**Mesclun :** mélange de différentes feuilles de salade : laitue, épinards, pissenlit, scarole, radicchio, mâche, etc.

**Mijoter :** faire cuire doucement à feu doux.

**Mirepoix :** préparation composée de légumes coupés grossièrement pour corser le goût d'une sauce ou d'un composé.
**Monder :** enlever la peau des amandes après les avoir arrosées d'eau bouillante.
**Monter :** faire prendre du volume à une substance en la fouettant.
**Mouiller :** ajouter un liquide à une préparation pour en augmenter le volume.

**N**

**Napper :** recouvrir des aliments de sauce, de crème, de gelée ou de confiture.

**P**

**Paner :** recouvrir un aliment de panure ou de chapelure
**Parer :** enlever les parties non consommables d'un aliment et lui donner une forme régulière.
**Paupiette :** tranche de viande ou de poisson, lardée et ficelée.
**Piquer :** vérifier la cuisson d'un aliment en le piquant pour s'assurer de son degré de cuisson. On pique aussi une viande à l'aide d'un couteau pour y insérer de l'ail, des fines herbes ou un corps gras.
**Pocher :** faire cuire un aliment dans un liquide aromatisé ou tout simplement dans une quantité d'eau tout juste frémissante.
**Poêler :** saisir dans un récipient avec couvercle, sur feu vif, une viande ou une volaille.

Q

**Quadriller :** tracer des diagonales pour obtenir un dessin régulier sur une viande, par exemple, un jambon.

R

**Rafraîchir :** refroidir rapidement un aliment sous l'eau froide.

**Réduire :** faire bouillir un liquide, à découvert, pour permettre l'évaporation et favoriser son épaississement.

**Revenir :** on fait revenir un aliment dans du beurre pour faire raidir l'extérieur, mais sans faire cuire l'aliment. Le tout s'effectue sur feu doux sans laisser les aliments prendre de couleur.

**Rissoler :** faire dorer les viandes et légumes sur feu vif pour leur donner une couleur dorée.

**Roussir :** faire revenir une viande ou des oignons recouverts de farine dans un corps gras jusqu'à coloration afin de lier le liquide qu'on y ajoutera et qui deviendra une sauce.

**Roux :** mélange de farine et de gras qui sert à lier une sauce.

S

**Saisir :** faire cuire à feu vif une viande en surface dans un poêlon sans l'ajout de corps gras.

**Saumure :** liquide très salé qui permet de conserver certains aliments, par exemple, les poissons.

**Sauter :** faire cuire rapidement légumes et viandes, généralement sur feu vif, dans une casserole à fond épais sans les piquer, mais plutôt en agitant la casserole pour les empêcher de coller.

**Suer :** on fait suer les légumes en les chauffant dans un corps gras afin qu'ils rendent leur eau et que leurs sucs se concentrent dans la matière grasse. Les légumes ne doivent pas dorer.
**Suprême :** quartiers d'agrumes pelés à vif.

## T

**Tamiser :** passer la farine ou les aliments moulus à travers un tamis afin d'enlever tout grumeau et permettre l'aération de ces ingrédients secs.
**Tomber :** cuire des légumes coupés en julienne dans leur eau de végétation.
**Touiller :** mélanger, remuer la salade.
**Trousser :** maintenir en place à l'aide d'une aiguille, de fil ou d'une cordelette une volaille ou un poisson.

## V

**Vanner :** lorsqu'une sauce préparée à base de farine refroidit dans la casserole, il se forme une peau qui, en se brisant, formera des grumeaux. En agitant la casserole ou en remuant régulièrement la sauce, on évite la formation de cette pellicule en attendant le refroidissement.

## Z

**Zeste :** écorces des oranges et des citrons reconnues pour leur valeur odorante et qu'on retire à l'aide d'un zesteur. On élimine la partie blanche de l'écorce beaucoup trop amère.

Partie 4

# Substituts et recettes rapides

Vous vous apprêtez à préparer un plat, et voilà que vous vous rendez compte qu'il vous manque un élément figurant sur la liste des ingrédients de votre recette. Voici quelques produits de substitution qui peuvent remplacer l'ingrédient manquant.

Vous trouverez aussi dans cette section quelques recettes rapides et surprenantes qui pourront vous dépanner ou qui vous permettront de cuisiner à bon compte des produits que vous avez l'habitude de vous procurer à l'épicerie.

## Bacon

On peut remplacer la quantité requise pour la recette par du jambon ou de la pancetta.

## Béchamel

Pour réussir une tasse de béchamel, vous devez toujours utiliser des quantités égales de farine, de beurre et une tasse de lait.

**Pour obtenir une consistance claire :** 15 ml de beurre, 15 ml de farine, 250 ml de lait.

**Une consistance moyenne :** 30 ml de beurre, 30 ml de farine, 250 ml de lait.

**Une consistance épaisse :** ajouter plus de farine et de beurre, toujours en proportions égales.

Au beurre fondu, ajouter la farine tout d'un coup pour bien l'intégrer ; laisser mijoter la mixture une minute avant d'ajouter d'un seul coup le lait chauffé. Mélanger bien au fouet et assaisonner.

## Beurre

Faites votre propre beurre en versant 250 ml (1 tasse) de crème à 35 % froide dans un bocal, que vous fermerez hermétiquement. Secouez vivement le bocal. Graduellement, la couleur deviendra jaune, et la texture, de plus en plus épaisse. Ajoutez une pincée de sel si vous le désirez.

On peut aussi fabriquer le beurre au robot culinaire. On fait fonctionner l'appareil 2 ou 3 minutes, jusqu'à ce que la crème épaississe et qu'elle se sépare en beurre et en liquide. Mettez le lait de beurre dans une tasse ; vous pourrez l'utiliser dans une recette ou le boire nature. Pressez ensuite le beurre dans un petit bol afin d'en extraire le reste du liquide.

## Beurre à l'ail

Préparez-en une bonne quantité, que vous utiliserez pour vos tartinades et vos sauces ou pour badigeonner les viandes et les poissons. À 250 ml (1 tasse) de beurre, ajouter 4 gousses d'ail très finement hachées et 30 ml (2 c. à soupe) de persil frais finement haché. Battre le tout en crème au mélangeur ou au robot. Déposer le beurre à l'ail dans un contenant plastifié hermétique au réfrigérateur.

## Beurre d'érable

Dans un bol, mélanger les ingrédients suivants : 250 ml (1 tasse) de beurre non salé, 5 ml (1 c. à thé) de zeste de citron, 2 ml (½ c. à thé) de muscade râpée et 150 ml (⅔ tasse) de sirop d'érable que vous ajoutez graduellement tout en mélangeant vigoureusement avec un batteur entre chaque addition. Verser dans des pots de verre. Ce beurre se conserve 1 mois au réfrigérateur.

## Bouillon de poisson

Vous pouvez remplacer la quantité requise par du jus de palourdes.

## Brochette

Il n'est pas nécessaire de se limiter aux traditionnelles brochettes (poivrons, champignons, oignons et cubes de viande) sur le barbecue. Essayez de nouvelles combinaisons :

- Brochettes de poisson. Le requin, un poisson ferme, est excellent en brochette.
- Foie de poulet enroulé dans une tranche de bacon. Alternez avec des tomates cerises.
- Cubes de jambon. Alternez avec des morceaux d'ananas. Badigeonnez de sirop d'érable.
- Façonnez des boulettes avec toutes les viandes hachées : agneau, dindon, veau, bœuf. Ajoutez un peu de chapelure et quelques gouttes d'eau pour que les boulettes se tiennent mieux. Alternez avec des morceaux d'aubergine, de tomate et de poivron vert.
- Coupez en rondelles différentes sortes de saucisses que vous mélangerez sur les brochettes. Insérez des morceaux d'oignon et des quartiers de pomme.
- Brochettes de fruits frais : fraise, banane, ananas, cerise, cantaloup. Glissez-y des guimauves multicolores. Saupoudrez de sucre et chauffez de trois à quatre minutes.

- Si les aliments pivotent en tous sens sur la brochette, glissez-les sur deux brochettes au lieu d'une.
- Lorsque vous utilisez des baguettes de bois en guide de brochettes, il est préférable de les faire tremper 30 minutes dans l'eau froide. De cette façon, elles ne brûleront pas pendant la cuisson.
- Avant d'enfiler des oignons sur une brochette, faites-les bouillir quelques minutes. La cuisson sera adéquate, et les oignons ne se briseront pas lorsque vous les embrocherez.

## Brocoli

Si une recette demande des brocolis, sachez que vous pouvez remplacer ce légume par du chou-fleur, des choux de Bruxelles ou du chou vert haché grossièrement sans changer le goût de votre recette.

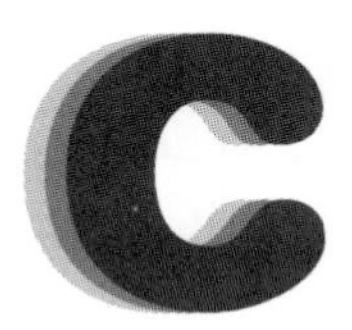

## Caramel magique

Amener à ébullition de l'eau que vous aurez versée dans une grande casserole. Déposez-y une boîte non ouverte de lait sucré condensé (Eagle Brand), dont vous aurez enlevé la bande de papier. Laisser mijoter à feu doux pendant environ 3 heures, en prenant soin de tourner la boîte de conserve toutes les 30 minutes et en vérifiant qu'elle est toujours couverte d'eau. Ouvrir la boîte délicatement et humer ce bon caramel chaud.

## Cassonade

Voici un excellent substitut pour 250 ml (1 tasse) de cassonade : 15 ml (1 c. à soupe) de mélasse mélangée à 250 ml (1 tasse) de sucre blanc.

## Cerises au marasquin

Rien de plus simple que de fabriquer des cerises au chocolat. Choisissez des cerises non équeutées au marasquin, vendues en pot. Égouttez-les et épongez-les avec un essuie-tout. Faites fondre du chocolat noir au four à micro-ondes ou au bain-marie. Une fois le chocolat fondu, plongez-y le bout d'une cuillère afin de vérifier sa texture. Il doit se figer instantanément et garder une apparence brillante et satinée. En les tenant par la queue, plongez les cerises asséchées dans le chocolat fondu et attendez quelques secondes avant de les déposer sur un papier ciré.

Ne jetez pas le sirop des cerises. Conservez-le pour agrémenter des coupes de crème glacée à la vanille. Garnissez ensuite le tout de copeaux de chocolat et de cerises hachées finement.

## Chapelure

Trois tranches de pain légèrement grillées que vous réduisez en chapelure au mélangeur équivalent à 250 ml (1 tasse) de chapelure.

Utilisez des céréales pour fabriquer de la chapelure. Une chapelure sucrée servira à confectionner les desserts, les abaisses de tarte, et la chapelure non sucrée enrobera les viandes et les poissons.

Passez au mélangeur les restants de pain rassis et les biscottes brisées ou moins fraîches. Conservez cette chapelure dans un contenant fermant hermétiquement.

On peut aussi remplacer la chapelure par des craquelins (biscuits soda) broyés, du germe de blé ou des flocons d'avoine.

Vous pouvez aussi faire dorer le pain dans un four chaud à 180 °C (350 °F) durant une dizaine de minutes ou jusqu'à ce que le pain soit doré. Vous pouvez aromatiser la chapelure en y ajoutant des herbes séchées.

## Chocolat

Si vous manquez de carrés de chocolat non sucrés, remplacez chaque carré par 45 ml (3 c. à soupe) de poudre de cacao et 15 ml (1 c. à soupe) de graisse végétale.

Pour un chocolat semi-sucré, on devra ajouter 45 ml (3 c. à soupe) de sucre.

## Chocolat chaud

Préparer à l'avance ce mélange pour 10 tasses.

250 ml (1 tasse) de sucre
125 ml (½ tasse) de poudre de cacao non sucrée
250 ml (1 tasse) de lait en poudre
5 ml (1 c. à thé) de cannelle

Mélanger tous les ingrédients et conserver dans une boîte métallique. À l'heure de la dégustation, mélanger 60 ml (¼ tasse) du mélange à 175 ml (¾ tasse) d'eau bouillante.

Il ne reste qu'à garnir de chocolat râpé et d'un nuage de crème fouettée.

## Chou vert

On peut remplacer le chou vert dans un plat cuisiné par du bok choy, du chou chinois ou des choux de Bruxelles.

## Ciboulette

Les tiges des oignons verts communément appelés échalotes, hachées finement, peuvent remplacer la ciboulette.

## Citron

Un citron moyen équivaut à 30 ml (2 c. à soupe) de jus et 5 ml (1 c. à thé) de zeste de citron.

## Cornichons avec l'écorce du melon d'eau

Couper l'écorce d'un melon d'eau en languettes en gardant peu de pulpe rose. Peler l'écorce et couper en morceaux de 2,5 cm (1 po). Ajouter 250 ml (1 tasse) de sel sur les cornichons ainsi obtenus. Couvrir d'eau froide. Laisser reposer 6 heures.

Après cette période de trempage, rincer abondamment les cornichons et couvrir d'eau froide. Faire cuire jusqu'à ce que les morceaux soient tendres. Égoutter. Faire chauffer 2 l (8 tasses) de vinaigre. Ajouter 2 l (8 tasses) de sucre et 15 ml (1 c. à soupe) de sel. Déposer dans une mousseline 15 ml (1 c. à soupe) de graines de céleri et 5 ml (1 c. à thé) de clous de girofle entiers. Faire chauffer le tout une dizaine de minutes. Ajouter les cornichons et faire cuire jusqu'à ce qu'ils deviennent transparents. Si le sirop épaissit trop rapidement, ajoutez un peu d'eau bouillante. Versez dans des pots stérilisés.

## Coulis de fruits

Préparés en quelques secondes au mélangeur, les coulis transforment une crème glacée, un yogourt ou un flan en dessert appétissant.

Si vous utilisez des fruits frais comme des fraises, des framboises ou des bleuets, calculer 20 ml (4 c. à thé) de sucre pour 375 ml (1½ tasse) de fruits.

Si vous utilisez des fruits en conserve comme des pêches ou des poires, il n'est pas nécessaire d'ajouter du sucre. Placer les fruits égouttés dans le récipient du mélangeur et réduire en purée.

Il est préférable de filtrer le coulis de fruits contenant de petites graines croquantes sous la dent, par exemple, les framboises.

## Couscous

Le riz, le boulghour et le quinoa sont trois céréales qui peuvent remplacer le couscous dans la présentation du plat que vous cuisinez.

## Crabe

À défaut de crabe, utiliser du homard, des crevettes ou de la goberge émiettés dans un plat de poisson cuisiné.

## Crème

Vous pouvez remplacer 250 ml (1 tasse) de crème dans la préparation d'une sauce par 220 ml de lait et 45 ml (3 c. à soupe) de beurre.

Dans une soupe ou un potage, on peut remplacer la quantité de crème par du tofu soyeux.

## Crème fraîche

Dans plusieurs recettes européennes, on parle de crème fraîche. On peut préparer une crème au goût similaire en chauffant 250 ml (1 tasse) de crème 35 % additionnée de 125 ml (½ tasse) de babeurre jusqu'à ce que le mélange soit légèrement chaud. Verser dans un plat de verre, couvrir et laisser reposer sur le comptoir, à la température ambiante pendant 1 journée ou jusqu'à ce que la crème épaississe et nappe bien une cuillère.

On peut alors conserver la crème une semaine au réfrigérateur. Cette crème acidulée est excellente pour allonger les sauces.

## Crème sure

On peut remplacer la crème sure dans une recette en ajoutant un jet de jus de citron dans du lait régulier ou de la crème fouettée. Laisser reposer 30 minutes à la température ambiante.

Dans un grand nombre de recettes, on peut remplacer la crème sure par du yogourt nature allégé. En plus de réduire le nombre de calories, le goût n'en sera pas trop changé.

## Croustilles maison

Chauffer le four à 200 °C (400 °F) ; trancher très finement une grosse pomme de terre et déposer les tranches sur une plaque à pâtisserie légèrement graissée.

À l'aide d'un pinceau, badigeonner la surface des tranches avec de l'huile d'olive. Faire cuire 30 minutes en retournant les pommes de terre une fois au cours de la cuisson.

## Croûtons

Couper un bon pain en cubes. Répartir ceux-ci sur une plaque et enfourner à 190 °C (375 °F) de 5 à 10 minutes, ou jusqu'à ce qu'ils soient légèrement grillés.

À la sortie du four, asperger d'un peu d'huile d'olive et saupoudrer de sel ou de sel aromatisé.

On peut aussi faire revenir, dans un poêlon, des cubes de pain dans un peu d'huile d'olive qu'on aura parfumée avec quelques gousses d'ail.

## Dattes

Dans une recette, on peut remplacer la quantité de dattes demandée par une quantité équivalente de raisins secs ou de figues sèches.

## Échalote française

Généralement, on peut remplacer l'échalote française qui est plus sucrée que les oignons, par de l'oignon vert, communément appelé échalote au Québec. Par contre, utiliser seulement la partie blanche.

## Écorces d'orange ou de citron

On peut remplacer des zestes confits par une cuillerée de marmelade.

## Épices à poulet

Mélanger les épices suivantes : 15 ml (1 c. à soupe) de gros sel, trois gousses d'ail écrasées (ou coupées en petits morceaux), un oignon coupé en petits dés et une petite cuillerée d'herbes de Provence. Répartir les épices entre la chair et la peau. Déposer le poulet au réfrigérateur pour la nuit et le mettre au four le lendemain à 180 °C (350 °F) jusqu'à ce qu'il soit bien cuit.

## Essence de vanille

Si vous êtes à court de vanille pour la préparation d'une recette, remplacez-la par du zeste de citron ou d'orange, de la cannelle ou une pointe de muscade.

## Farine

Pour obtenir 250 ml (1 tasse) de farine blanche tamisée, enlevez 30 ml (2 c. à soupe) de farine dans la tasse non tamisée.

## Fécule de maïs

Vous pouvez remplacer 15 ml (1 c. à soupe) de fécule de maïs par 30 ml (3 c. à soupe) de farine ou 20 ml (4 c. à thé) de tapioca instantané.

Un œuf battu peut aussi remplacer 15 ml (1 c. à soupe) de fécule de maïs pour épaissir une sauce.

## Frites

Le secret des bonnes frites à la belge est d'éplucher et de couper en tranches d'environ 1 cm d'épaisseur les pommes de terre et de les griffer à l'aide des dents d'une fourchette pour obtenir une texture gondolée. Couper ensuite en bâtonnets.

Pendant ce temps, mettre l'huile à chauffer à 160 °C.

Laver et faire tremper les pommes de terre coupées dans un bol d'eau glacée pendant quelques minutes. Bien les essuyer avec un linge.

Privilégier la double cuisson pour les frites. Tout d'abord, les frites doivent cuire de 5 à 7 minutes, dans l'huile à 160 °C. Après les avoir égouttées pendant quelques minutes, on doit les replonger de 1 à 3 minutes dans l'huile, qui doit atteindre 180 °C. Il est préférable de faire cuire une ou deux portions à la fois pour un meilleur résultat.

## Fromages

Dans la préparation d'une recette, on peut remplacer le fromage demandé par un fromage de la même famille, tant par la texture que pour la ressemblance de son goût.

Par exemple : Un fromage suisse par du gruyère ou de l'emmenthal.

De la feta par un fromage de chèvre

Un gouda par de l'edam

Du parmesan par du romano

Un brie par du camembert

Un fromage bleu par du roquefort

Un cheddar doux par de la mozzarella

Fromage cottage

On peut remplacer le fromage cottage dans la préparation d'une recette par la même quantité de yogourt nature, de ricotta ou de crème sure.

## Fromage à la crème fruité

Écraser à la fourchette un paquet de fromage à la crème à faible teneur en matières grasses. Ajouter 30 ml (2 c. à soupe) de dattes et/ou de raisins finement hachés, une pincée de cannelle et une goutte ou deux d'extrait de vanille. Mélanger le tout et en tartiner des bagels, des muffins ou des rôties.

## Glace au miel

Voilà une glace rapide pour sucrer vos beignes maison. Faire fondre du miel au four à micro-ondes quelques secondes, puis l'appliquer avec un pinceau sur les beignes. Laisser les pâtisseries reposer 30 minutes avant de les ranger dans un contenant hermétique.

## Grenadine

À défaut de grenadine, utiliser le jus des cerises au marasquin vendues en pots de verre.

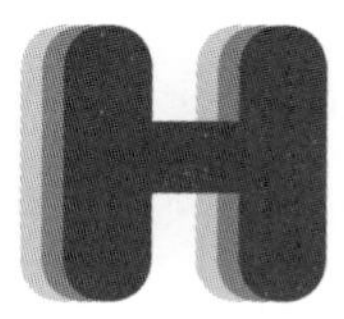

## Huile

Pour la préparation de gâteaux, de muffins et de pains, vous pouvez remplacer la moitié de la quantité d'huile requise par une compote de pommes non sucrée ou par un mélange composé de ⅓ de bananes réduites en purée, de ⅓ de yogourt et de ⅓ d'huile.

Vous pouvez aussi remplacer la quantité d'huile demandée dans la préparation d'un gâteau par la quantité équivalente de mayonnaise.

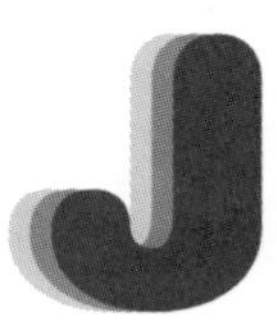

## Jus de tomates

On peut remplacer 250 ml (1 tasse) de jus de tomates dans une recette par 125 ml (½ tasse) de sauce tomate et 125 ml (½ tasse) d'eau.

## Kumquat

Ce petit fruit n'est pas toujours disponible au marché. On peut le remplacer par des quartiers de mandarine ou de tangerine. Contrairement au kumquat, leurs écorces ne sont pas comestibles.

## Lait

Remplacer 250 ml (1 tasse) de lait frais par 60 ml (¼ tasse) de lait en poudre et 250 ml (1 tasse) d'eau. Pour les pâtisseries, mélanger le lait en poudre à la farine et aux ingrédients secs, puis ajouter l'eau au moment où vous devriez ajouter le lait.

Le lait de babeurre peut aussi se substituer à la quantité de lait requise pour la préparation d'un gâteau ou de muffins.

## Lait condensé

Fabriquez votre lait condensé à l'aide d'un malaxeur. Mélanger 250 ml (1 tasse) de lait écrémé en poudre, 250 ml (1 tasse) de sucre, 80 ml (⅓ tasse) d'eau bouillante et 45 ml (3 c. à soupe) de margarine ou de beurre fondu. Au besoin, ajouter un peu d'eau bouillante afin que la préparation soit lisse et prenne la consistance du lait concentré.

## Lait de babeurre

Ajouter 15 ml (1 c. à soupe) de vinaigre ou de jus de citron pour 250 ml (1 tasse) de lait. Attendre 5 minutes avant d'utiliser ce lait qui peut se substituer au lait de babeurre.

## Lait de coco

Déposer dans un mélangeur la même quantité de noix de coco râpée et d'eau très chaude que la quantité de lait de coco désirée. Broyer jusqu'à l'obtention d'un mélange lisse que vous passerez au chinois avant de l'utiliser dans votre recette.

## Levure chimique (poudre à pâte)

On remplace 5 ml (1 c. à thé) de levure chimique par 2 ml (½ c. à thé) de crème de tartre et 2 ml (½ c. à thé) de bicarbonate de soude.

## Lime

On peut remplacer le jus de lime par du jus de citron, mais il est bon de se rappeler que 80 ml (⅓ tasse) de jus de lime équivaut à 125 ml (½ tasse) de jus de citron. Réduisez la quantité d'eau ou de liquide demandé dans votre recette en fonction du changement d'agrumes.

## Maïs soufflé sucré

On peut préparer à la maison cette petite gâterie qui nous rappelle des souvenirs d'enfance.

Étaler 8 tasses de maïs soufflé et 2 tasses d'arachides écalées sur une plaque à biscuits. Mélanger 125 ml (½ tasse) de sucre et 250 ml (1 tasse) de mélasse et faire cuire dans une casserole jusqu'à ce que le mélange atteigne 104 °C (234 °F). Verser le sirop sur le maïs et les arachides, puis bien mélanger. Laisser refroidir la préparation avant de la séparer à la main en petits morceaux.

## Miel

On peut remplacer le miel par la même quantité de sirop d'érable ou par 310 ml (1¼ tasse) de sucre et 60 ml (¼ tasse) d'eau. Si vous choisissez la deuxième option, réduire de 60 ml (¼ tasse) le liquide requis dans votre recette.

## Œuf

Un œuf entier peut être remplacé par deux jaunes lors de la préparation d'une recette. Si vous êtes à court d'œufs, le troisième œuf d'une recette peut être remplacé par 15 ml (1 c. à soupe) de fécule de maïs.

Un seul œuf peut être remplacé par 5 ml (1 c. à thé) de levure chimique (poudre à pâte) et 5 ml (1 c. à thé) de vinaigre.

## Pacanes grillées

Saupoudrer 125 ml (½ tasse) de sucre blanc sur 500 g (1 lb) de pacanes. Déposer les pacanes sur une plaque à biscuits, puis les arroser avec 45 ml (3 c. à soupe) de sauce soya. Faire rôtir au four à 180 °C (350 °F) jusqu'à ce qu'elles soient bien grillées. Conservez-les dans un contenant hermétique, à l'abri de l'humidité.

## Pâte à tarte express

Pas besoin de sortir le rouleau à pâtisserie. Cette pâte devient croustillante et bien dorée et peut être utilisée pour toutes les tartes ou les quiches qui ne nécessitent qu'une abaisse.

Mélanger 375 ml (1½ tasse) de farine blanche

5 ml (½ c. à thé) de levure chimique (poudre à pâte).

Ajouter 125 ml (½ tasse) d'huile végétale

125 ml (½ tasse) d'eau chaude.

Salut Bonjour .week-end

SAMEDI ET DIMANCHE
6H30 À 10H



# Bonnes adresses

**Dimanche 22 octobre 2006**

## Fin de semaine du 21-22 octobre 2006

**La Boîte à Pin-so**
977, route de l'Église, Sainte-Foy
(418) 651-7682 www.pin-so.com

**François Morency**
www.francoismorency.com

**L'ABC des trucs de cuisine de Madame Chasse-taches**
Publié aux éditions Publistar

**Recette de pâte à tarte express**

Mélanger 375 ml de farine blanche, 5 ml de levure chimique (poudre à pâte).
Ajouter 125 ml d'huile végétal mélangé à 125 ml d'eau chaude.
Façonner et étendre... sans rouleau à pâtisserie.

**Pour nettoyer et désodoriser les peluches**

Mettre la peluche dans un sac de plastique avec du bicarbonate de soude et de la fécule de maïs. Bien agiter. Laisser la peluche quelques temps dans le sac fermé si les odeurs sont persistantes.

---

**Samedi**

**Salon national des animaux de compagnie**

Mélanger avec les mains. Il vous suffit ensuite d'étendre la pâte, toujours avec les mains, dans un moule à tarte.

## Piment de Cayenne

6 à 8 gouttes de sauce Tabasco remplacent 1 ml (¼ c. à thé) de piment de Cayenne

## Raisins secs

Pour la réalisation d'un dessert, on peut remplacer la quantité de raisins secs requise par la même quantité de canneberges ou de cerises déshydratées.

## Sauce blanche

Mélanger bien 250 ml (1 tasse) de beurre fondu à 250 ml (1 tasse) de farine. Verser dans des bacs à glaçons ; vous aurez ainsi 16 portions. Déposer au congélateur. Une fois que le contenu des bacs est gelé, mettre les 16 petits cubes dans un sac à fermeture pour la congélation. Pour préparer la sauce, diluer un cube dans 250 ml (1 tasse) de lait. Faire chauffer jusqu'à ce que la sauce épaississe et qu'elle atteigne la consistance désirée.

## Sauce brune

Comme le faisaient nos grands-mères, ajoutez une tasse de thé au jus de cuisson du rôti de bœuf, quelques minutes avant la fin de la cuisson. Voilà une sauce vite préparée et délicieuse.

## Sauce chocolatée express

Amener à ébullition 150 ml (⅔ tasse) de crème 15 %. Ajouter 200 g (1⅓ tasse) de chocolat mi-amer coupé en morceaux et mélanger pour obtenir une sauce bien lisse. Servir immédiatement sur des fruits coupés, sur un gâteau ou une glace vanillée.

## Sauce cocktail

Mélanger 250 ml (1 tasse) de ketchup ou de sauce chili ou 125 ml (½ tasse) de chacun de ces ingrédients à 30 ml (2 c. à soupe) de raifort crémeux. Ajouter 30 ml (2 c. à soupe) de jus de citron et 2 gouttes de sauce Tabasco et de sauce Worcestershire.

Excellent dépanneur pour servir avec les crevettes et les fruits de mer.

## Sauce fruitée

Conserver au réfrigérateur les restes de confiture et de gelée dans un contenant. Mélangées au jus de cuisson du poulet, de l'agneau et même du veau, elles se transformeront en une sauce d'accompagnement fruitée.

## Sauce tartare express

Mélanger une petite quantité de relish sucrée et un œuf dur émietté à quelques cuillerées de mayonnaise. Ajouter une pointe de moutarde de Dijon pour relever le goût.

**Variante :** hacher très finement un petit oignon, un gros cornichon sucré et un peu de persil. Mélanger à la mayonnaise.

## Sirop de maïs

Remplacer 250 ml (1 tasse) de sirop de maïs par un mélange de 310 ml (1¼ tasse) de sucre et de 75 ml (⅓ tasse) d'eau ; laisser bouillir le tout jusqu'à l'obtention d'un sirop.

Le sirop de maïs peut aussi être remplacé par du sirop d'érable.

## Sucre

Si vous désirez remplacer le sucre granulé par la même quantité de sirop d'érable, vous devez penser à diminuer la quantité de liquide (eau, lait ou huile) demandée par la recette.

Pour 125 ml de sirop d'érable, enlever 30 ml de liquide

Pour 250 ml, enlever 60 ml

Pour 500 ml, enlever 125 ml

On peut utiliser 250 ml (1 tasse) de mélasse pour remplacer 200 ml (¾ tasse) de sucre. Réduisez la quantité de liquide de 60 ml (¼ tasse) pour chaque tasse de mélasse ajoutée. Omettre la levure chimique et ajouter 2 ml (½ c. à thé) de bicarbonate de soude.

## Sucre en poudre

À défaut de sucre en poudre, verser 125 ml (½ tasse) de sucre granulé dans le mélangeur. Vous obtiendrez 250 ml (1 tasse) de sucre en poudre.

## Sucre parfumé

**Mélange**

30 ml (2 c. à soupe) de cannelle moulue
10 ml (2 c. à thé) de muscade moulue
5 ml (1 c. à thé) de clou de girofle moulu
30 ml (2 c. à soupe) de sucre fin

Mélanger tous les ingrédients et conserver le sucre parfumé obtenu dans un bocal de verre pour saupoudrer les rôties, les fruits, les yogourts et les céréales. Vous pouvez aussi ajouter une gousse de vanille pour apporter une touche vanillée à votre sucre parfumé.

## Sucre vanillé

Glisser tout simplement un bâton de vanille dans le sucrier. Trois semaines suffisent à parfumer le sucre.

## Tomates

On peut remplacer 325 ml (1⅓ tasse) de tomates fraîches hachées par 250 ml (1 tasse) de tomates en conserves hachées.

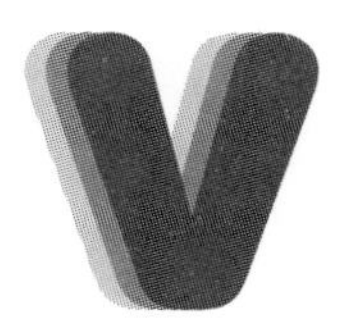

## Vanille

On peut remplacer 5 ml (1 c. à thé) d'extrait de vanille par 2,5 cm (1 po) de vanille fraîche.

## Vin blanc

Vous pouvez aussi remplacer la quantité requise par la même quantité de jus de raisin blanc, de bouillon de poulet, de bœuf ou de légumes.

Le jus de pommes peut aussi remplacer le cidre ou le vin blanc sucré.

## Vinaigre

Le vinaigre des marinades sucrées remplace le vinaigre blanc dans la préparation de salades vertes, de pommes de terre ou de chou.

10 ml (2 c. à thé) de jus de citron peuvent remplacer 5 ml (1 c. à thé) de vinaigre.

## Vinaigre balsamique

Pour améliorer la saveur d'un vinaigre balsamique très ordinaire, on doit le faire réduire. Mesurer une quantité de vinaigre et la verser dans une casserole. Faire cuire à feu moyen. Après 20 minutes, vérifier si le liquide a réduit de moitié ; sinon, poursuivre la cuisson encore quelques minutes.

## Vinaigre maison

Avec un restant de vin rouge (ou blanc), vous pouvez fabriquer un excellent vinaigre maison.

À 250 ml (1 tasse) de vin, ajouter 10 ml (2 c. à thé) de vinaigre blanc. Verser dans une bouteille dont vous recouvrez le goulot avec un morceau d'étamine (coton à fromage). Laisser fermenter le mélange à la température ambiante pendant 1 ou 2 semaines.

Filtrer ensuite le vinaigre avant de le verser de nouveau dans une bouteille propre. Ajouter des herbes fraîches : 250 ml (1 tasse) d'herbes pour 1 l (4 tasses) de vinaigre ou 10 ml (2. c à thé) d'herbes sèches.

Fermer la bouteille avec un bouchon de liège que vous aurez fait tremper quelques minutes dans l'eau chaude afin de le faire gonfler. La bouteille ainsi scellée permettra au vinaigre de prendre tout son arôme au cours des trois semaines suivantes.

## Vinaigrette

Quand un pot de mayonnaise ou de moutarde est presque vide, ajoutez-y un peu de ces ingrédients : huile d'olive, vinaigre aromatisé, ail, sel, poivre et fines herbes. Secouez énergiquement le pot et voilà une vinaigrette prête pour quelques salades de plus.

# Index

**A**
abat-jour, 165, 190
abaisser, 225
abatis, 225
aciduler, 225
acier inoxydable, 165, 195
aiguillettes, 225
aiguilles à tricoter, 165, 207
ail, **13-14**, 112, **173**
allonger, 225
allume-feu, 165, 214
amande, **14**
ananas, **15**
anchois, **15**
aneth, **16**
appareil, 225
appliques, 165, 212
arête de poisson, 165, 205
arrosoir, 165, 179
artichaut, **16**
asperge, **17**
aspic, **18**
assouplisseur maison, 165, 219
aubergine, **18**, 239
avocat, **18-19**, **173-174**

**B**
bacon, **20**, **237**
badigeonner, 225
bagel, **20**
bain-marie, **20-21**, 225
bain santé, 165, 193-194, 199
banane, **21-22**, **175**
barbecue, **22-23**, 53-54, 96, 142, 147, 239
barder, 225
basilic, **24**, 77
bateau, 165, 177
battre, 226
béchamel, **24-25**, **237**
betterave, **25**
beurre, 24, **25-26**, 34, 47, 68, 97, 99, 100, 147, **175**, 226, 229, **237**, 238
– à l'ail, **238**
– d'arachide, **26**, 42, **176**, 208
– d'érable, **238**
– liquéfié, **26**
– manié, 226
biberons, 165, 177, 207, 211
bicarbonate de soude, **26-27**, 42, **177-178**
bière, 51, 85, 126, **178**
bigorneaux, **27**
bijoux, 165, 198, 200
biscuits, **27**, 152
– soda (craquelins), **28-29**, 152
blanc d'œuf, 81, 109, 110, 130, 153, 154, **179**, 191, 204
blanchir, 226
bleu, 226
bloc de glace, 79, 165

blondir, 226
bœuf haché, **29-30**, 31, 115
boisson gazeuse, **30**, **179**,185
bois verni, 166, 180
bottes de caoutchouc, 166
bougie, 166, 213
bouillon, **30-31**, 64, 146
– de poisson, **239**
boulettes de viande 30, **31**
bouquet garni, **31**, 226, 227
bouteille de ketchup, **179**
braiser, 226
brider, 226
brochette, 76, 142, **239-240**
brocoli, **31**, **240**
brûlures, 166, 209, 211, 221
– de cigarette, 201
brunoise, 226

**C**

cacao, **32**, 37, 42, 243
cadre vitré, 166, 201
café, **32-33**, 36, 42, 127, **180-181**, 205
cafetière, 32, 166, 214
canneberges, **33**
cannelle, **181**
cantaloup, **33**
caramel, **33**
– magique, **241**
carotte, **34**
carrés aux dattes, **34**
cartons à œufs, 169, **181**
cartes à jouer, 166, 210
cassonade, **34**, 100, 129, **241**
céleri, **34-35**, 42, 115, 144, **181**, 226
cerises au marasquin, **241**
cernes blancs, 166, 201
champagne, **35**
champignons, **35-36**, 42, 239
chapeau de paille, 166, 184
chapelure, **36**, 43, 115, 116, **242-243**
charnières, 166, 195
chats, 166, 183, 190
chaussures, 166, 193, 200, 210
chemiser, 226
chevelure, 166, 174, 182, 194, 204, 208, 220
chinois, 226
chocolat, **36-37**, 43, 64, 122, 242, **243**, 266
– chaud, **37**, **243**
chou, **37**, 38, 171, 182, 198, 240, **243**, 270
– vert, **182**, 240, **243**
chou-fleur, **38**, 240
ciboulette, **38**, **244**
cigares au chou, **38**
ciseler, 227
citron, **38-39**, 74, 75, 93, 99, 120, 159, 161, **182-184**, **244**, 249, 259
citrouille, **39**
clé, 166, 195
clou de girofle, 129, **184**, 229, 268
cola, 85, 170, **185**
colle, 166, 176, 189, 190, 204, 216, 218
compresse, 166, 193
colorant alimentaire, 167, **185**, 189, 190
concombres, **39-40**, 168, **185-186**
concasser, 227
confiture, **40-41**, 232, 266
congélation, 29, **41**, 66, 67, 79, 109, 127, 157
conservation, 11, 29, 37, **42**, 44, 57, 62, 106, 110, 123, 130, 133
conserves, 43, **44**, 133, 269
contenants de lait et de jus, **186**
contenants plastifiés, 30, 39, **44**, 100, 110, 155, 167, 195, 213, 218, 238
coquilles d'œufs, 109, **186**
cornichons, **45**, 267
– avec l'écorce du melon d'eau, **244**
cors, 167, 183

corser, 227
coudes, 167, 174, 181
coulis, 227
– de fruits, **245**
– décoratif, **45**
courge spaghetti, **45-46**
courgette, **46**
court-bouillon, 227
couscous, **245**
crabe, **246**
craquelins, 28, **47**, 152
crème, 47, 48, 49, **246**
– 15 %, **48**
– 35 %, **49**, 246
– anglaise, **47**
– de beurre, **47**
– de tartre, **48**, 98, 108, 168, **187**, 189
– fraîche, 221, **246**
– glacée, **50**, 66, 101, 242, 245
– sure, **246**, 247, 252
crêpes, **51**, 52
crevettes, **52-53**, 246, 266
cristal, 167, 210
croissant, **53**
croustilles, 43, **53**, **247**
– maison, **247**
croûtons, 193, **247**
crudités, **53**
cuisson adéquate, **53**
cuivre, 156, 167, 198
cuvette des toilettes, 167, 177, 185, 213

D

darne, 227
dattes, 34, 70, **248**, 253
décalque, 167, 219
décanter, 227
décongélation, 30, 42, **55**
déglacer, 227
dégorger, 227
délayer, 227
démoulage, 18, **55-56**, 230
dentelle, 167, 180, 188, 206, 211, 214
– ivoire, 167, 178
– noire, 167, 180
– vieillie, 167, 180
dents, 167, 216
dessaler, 227
détremper une pâte, 227
dindon, **56-57**
dorer, 228
dresser, 228

E

eau des pâtes, 167, **188**
écailler, 228
écaler, 228
ecchymose, 167, 217
écharde, 167, 192
échalote française, **249**
écorces d'orange ou de citron, 183, 184, 234, **249**
écumer, 228
effiler, 228
électricité statique, 167, 178
émincer, 228
empois, 167, 191, 192
emporte-pièce, 228
émulsion, 228
endive, **58**
entorse, 167, 178
épépiner, 228
épices, **58-59**, 100, 229
– à poulet, **249**
épinards, **59**, 167, **188**, 231
essence de vanille, 112, 217, 250
époussetage, 167, 195
escalopes, 229
étain, 167, 208, 210
étamine, 229
étiquette, 29, 167, 176
étouffée, 229

F

farce, 54, 56, **60**, 91, 125, 126, 229

farine, 43, **60**, 100, 134, **189-190**, 233, 234, 237, **251**, 262
fécule de maïs, **60**, 63, 146, 147, 165, 167, 169, 170, 171, **190-191**, **251**, 261
fer à repasser, 167, 218
feuilles de nori, **60**
feu sur cuisinière, 167, 213
fèves au lard, **61**
fèves germées, **61**
fines herbes, 24, 43, **61**, 68, 232
fleurs comestibles, **62**
fleurs fraîches, 167, 185, 192
foie de bœuf, **62**
foie de veau, **62**
foncer, 229
fond, 229
fondre, 229
fondue, 37, **63-64**
– au chocolat, **64**
– chinoise, **64**
– fromage, 63
fontaine, 229
fouetter, 229
four à micro-ondes, 34, 35, 38, 39, 46, 53, 55, 62, **65**, 70, 123, 136, 157, 161, 168, 183, 217
fraises, **65-66**, 169, **191**, 218, 239, 245
framboises, **66-67**, **191**, 245
frémir, 229
frites, **67**, **251-252**
fromage, 63, 64, **68-69**, 150, **252-253**
– à la crème fruité, **253**
– cottage, **69**, 156, 252
fruits, 43, **69**, 70, 73, 145, 245, 266
– secs, 64, **70**
fudge, **70**
fumet, 229

**G**
galette des rois, **71**
gants de cuir blancs, 168, 189
garnir, 230
garniture à tarte, **71**
gâteau, 43, 55, **71-73**, 74, 255
– aux fruits, **73**
gélatine, 15, 42, 43, **74**, 153, 167, **192**
gelée de porto, **74**
gingembre mariné, **74**
givrer les verres, 168, 184
glaçage à gâteau, **74**
glace au miel, **254**
glacer, 230
glaçons, 30, **75**, 86, 94, 121, 122, 167, **192**, 265
gnocchis, **75**
gomme à mâcher, 167, 176, 179, 182, **192**
gorge, 137, 168, 183, 205, 213, 216
goulots de bouteilles, 168, 196
graffitis, 168, 177
grains de maïs, 97, 166, **193**
graisse végétale, 166, **193**, 243
graisser, 230
gras, 120, 146, 151, **193**, 202
gratiner, 230
grenade, **75**
grenadine, **254**
gruau, 165, **193**
guimauves, **75**
guitare sèche, 168, 211

**H**
habiller, 230
haleine, 168, 181
haricots secs, **77**
herbes de Provence, **77**, 249
hoquet, 168, 215
homard, **77-79**, 80, 246
huile, 43, 67, 159, **255**
– cuisson, **80**
– à friture, **80**
– de noix, **82**
– de tournesol, **194**

huile d'olive, **82**, **194**
huile végétale, **195**
huîtres, **83-84**
humidificateur, 168, 184

**I**
imbiber, 230
infuser, 230

**J**
jambon, 54, **85-86**, 227, 230, 233, 237, 239
jardin, 24, 168, 173, 175, 183, 186, 190
jardinière, 230
julienne, 230
jus de tomates, 141, 169, 171, 172, **197**, **256**

**K**
ketchup, **87**, 165, 166, 172, 177, 179, 196, **198**, 266
 – maison, **87**
kiwi, 169, 171, **198**
kumquat, **257**

**L**
lainage noir, 168, 188
lait, 37, 43, **88-90**, 171, 184, 186, **199-200**
 – condensé, **258**
 – de babeurre, **89**, **258-259**
 – de coco, **89**, **259**
 – en poudre, **89**, 134, 176, 199, 200, 243, 258
 – évaporé, **89**
 – maternel, **90**
laitue, 30, **90-91**, 151, 231
larder, 231
lardons, 231
lasagne, **91**, 156
lave-vaisselle, 133, 160, 168, 195, 217
légumes, 53, **91**, 92, 151
légumineuses, **92-93**
lessive, 168, 178, 212, 219
lever, 231
levure chimique (poudre à pâte), 43, **93**, **259**, 267
liaison, 231
lier, 231
limaces, 168, 186
lime, **93**, **259**
limonade, **94**
lingerie, 168, 199
livre, 168, 202

**M**
macérer, 231
machine à laver, 168, 175, 177, 217, 219
mains, 14, 112, 168, 197, 198
maïs, **95-97**, 193, 260, 267
 – soufflé, 64, **97**, 193
 – soufflé sucré, **260**
maïzena, 231
manier, 231
mariner, 231
masque peau, 169
masquer, 231
matelas, 169, 177, 190
mauvaises herbes, 169, 212, 218, 221
mauvaises odeurs, 169, 184, 203, 217, 219
mayonnaise, **97**, 98, 166, **201**, 271
médicaments, 169, 175, 192
mélasse, 43, **98**, 241, 260, 267
melon d'eau, **98**
menthe, 155, 170, **201**
meringue, 48, **98-99**
mesclun, 231
mesures, **99**
 beurre et margarine, 99
 ingrédients secs, 100
meubles de bois, 169, 183, 195, 201
mie de pain, 68, 112, **201-202**
miel, 43, **100**, 101, **202**, 254, **260**
mijoter, 231

mirepoix, 231
miroirs, 169, 216
mites, 169, 184
monder, 232
monter, 232
mouches noires, 69, 169, 173
mouffette, 169, 197
mouiller, 232
moules, **101**
mousse, 41, 169, 212, 219, 221
mousse de savon, 169, 219
moutarde sèche, 43, 61, 170, 190, **203**
muffins, 21, **101-102**, 130, 137, 157

**N**

napper, 232
nappes, 169, 187, 205
nausée, 169, 183
navet, **103**, 143
noix, 82, **103**, 104, 123, 259
noix de coco, **103**, 104, 259

**O**

odeurs, 112
œillets, 169, 179
œufs, **105-110**, 179, **204**, 205, **261**
- brouillé, 108
- œuf décoratif, 110
- œuf dur, 106, 107, 228, 266
- œuf farci, 108, 168, 181
- œuf frit, 108
- œuf mollet, 107
- œuf poché, 107

oignon, **110**, 111, 112, **205-206**
- conservation, 110
- larmoiement, 111

oiseaux, 169, 193
olives, 43, **113**
omelette, 14, 35, 105, **113**
ongles, 169, 173, 194, 218
orange, 75, **113**, 161, 249
os à moelle, **114**

**P**

pacanes grillées, **262**
pain, 201, 202, **207**, 242, 243, 247
- de viande, **115**
- frais, **115**
- pita, **116**

pamplemousse, 172, **207**
paner, 232
pansement collé, 169, 194
panure, **116**, 134, 232
papier ciré, **207**
papier d'aluminium, 27, 56, 85, 96, 107, 116, **207**
papier peint, 169, 202
pare-brise, 169, 185
pare-chocs, 169, 196
parer, 232
parmesan, **116**, 252
patates douces, **116**
pâte à choux, **117**
- à modeler, 170, 176, 189
- à pizza, 35, **119**
- à tarte, 9, 119-120, 139, 262
- à tarte express, **262**

pâtes alimentaires, 43, **117-118**, 152, 188
pâte de tomate, **121**
pâte filo, 121
pâté de foie, **120**
paupiette, 232
pêches, **121**, 169, **208**, 245
peinture (odeur), 170, 205, 206
pelle, 170, 196
pellicules, 170, 221
peluche (toutou), 170, 190
pépites de chocolat, **122**
Perrier, 166, **208**
persil, 45, **122**
pesto, 24, **122**
pétoncles, **123**
photographies, 170, 202
pieds, 170, 178, 181, 201, 203
pigeons, 170, 218
pignons, **123**

piment de Cayenne, 171, 190, **208**, 227, **263**
pinceaux, 170, 185, 218, 219, 221, 225, 228, 247, 254
piquer, 232
piqûres
– de guêpes, 170, 206
– d'insectes, 170, 200, 208
pizza, 35, 111, 119, **123**
planche à découper, 112, 170, 183, 195
planche à repasser, 170, 207
plantes, 170, 173, 178, 179, 186, 195, 199, 203, 205, 209, 216, 220
pocher, 232
poêler, 232
poêlon en fonte, 170, 209
poire, 69, 70, **124**, 245
poireau, **124**, **208**
pois, **124**
poisson, 78, **125-127**, 148, 165, 180, 205, 227, 228, 230, 232, 234, 246
– d'argent, 170, 184, 210
poivrons, 45, **128**, 239
pommeau de douche, 170, 219
pommes, **128-130**, **209**, 255
pomme de terre, 43, 67, 116, **130-132**, 145, 149, 166, 167, 170, 172, **209-210**, 251, 252
pot-au-feu, **132**
pot de conserve, **133**
poterie, 170, 214
poudre à pâte (levure chimique), 43, 93, 112, 130, 259, 261, 262
poulet, 54, **133-135**, 249
poupée, 170, 176
pruneaux, **135**
punch, 94, **135**

**Q**
quadriller, 233
quiche, **136**

**R**
rafraîchir, 233
raisins, **137**, 138
– secs, **137**, 248, **264**
réduire, 233
réfrigérateur, **138**
renvoi d'eau, 171, 180, 203
revenir, 233
rhubarbe, **138-139**
rhumatismes, 171, 181
rideaux, 171, 190, 199, 200
risotto, **139-140**
rissoler, 233
riz, 43, 139, **140-141**, **211**, 245
robinets, 171, 189
rognons, 141, **142**, 225, 227
romarin, 77, **142**
rosiers, 171, 173, 175
rôti, 54, **142-143**, 265
rotin, 171, 183
roussir, 233
roux, 233
rutabaga, 103, **143-144**

**S**
safran, **145**, 227
saisir, 233
salade de fruits, **145**
salade de pommes de terre, **145**
salade verte, **146**
salle de bains, 171, 177, 189
sandwiches fantaisie, **146**
sapin, 171, 214
sauce, **146-147**, 246
– au beurre, **147**
– blanche, **265**
– brune, 86, **265**
– chocolatée express, **266**
– cocktail, **266**
– fruitée, **266**
– tartare express, **266**
– tomate, **147**
saucisses, **147**
saucisses hot-dog, **148**

saumon, **148**
- fumé, **149**

saumure, 233
sauter, 233
sel, **149**, **212**
semis, 171, 181
sésame, **149**, 160
sinus, 171, 205
sirop d'érable, 43, **150**, 238, 260, 267
sirop de maïs, 96, 109, **267**
soie, 171, 200
soudure, 171, 202
soufflé, **150-151**
soupe, 118, 124, 149, **151-152**
souris, 171, 208
spaghetti, **214**
sucre, 44, 149, 150, **152**, 155, 184, **214**, **267**
- à la crème, **152**
- en poudre, **215**, **268**
- parfumé, **268**
- vanillé, **268**

suer, 234
suprême, 234

T

taches, 9, 15, 16, 18, 21, 44, 45, 127, 128, 163, 183, 187, 200, 218
- boue, 171, 205
- café, 171, 205
- cambouis, 171, 175
- carotte, 171
- chou rouge, 171, 198
- encre, 171, 176, 197, 199
- fraise, 171, 191
- gomme à mâcher, 171, 176, 179, 182
- graisse, 30, 171, 175, 193
- herbe, 24, 142, 171, 214
- huile d'olive, **82**, **194**, 195, 202
- jaunissement, 172
- ketchup, 172, 198
- lait régurgité, 172, 177, 184
- nicotine, 172, 182
- rouille, 172, 182, 185, 194, 197, 209, 213
- sang, 172, 190
- sauce tomate, 172, 199
- transpiration, 172, 182, 220
- vitres, 172, 196, 205

tamiser, 234
tapioca, 40, 153, 166, **216**, 251
tapis, 172, 177, 179, 182, 199
tapisserie (petits points), 172, 212
tarte, 71, 119, 120, **153-154**, 228, 262
- meringuée, 99

têtes de violon, **154-155**
thé, 44, 58, 70, **155**, **216**
thym, 77, **216**, 226
tire d'érable, **155**
tissu noir, 172, 180
tofu, **156**, 246
tomate, 44, 121, 147, 152, **156-157**, 197, 199, 256, **269**
tomber, 234
touiller, 234
tourtière, **157**
toux, 172, 199
transpiration, 220
trousser, 234

U

urine, 172, 219
ustensiles de bois, 172, 195
ustensiles de cuisine, 172, 195, 205, 215

V

vanille, **158**, **217**, 242, 250, 268, **270**
vanner, 234
vase à fleurs, 172, 210
vélo, 172, 213
verrerie, 172, 207
vinaigre, 44, 158, **217-219**
- balsamique, **270**
- maison, **271**
- de cidre, **220**

vinaigrette, **158**, **270-271**
vins blanc et rouge, **159**
vin blanc, 172, 213, **270**
vin rouge, **220**
vocabulaire culinaire, 223-234

**W**
wasabi, **160**
wok, **160**

**Y**
yogourt, **221**

**Z**
zeste, 39, 113, **161**, 234, 244, 250

Cet ouvrage a été composé en Helvetica corps 12/16
et achevé d'imprimer au Canada en septembre 2006
sur les presses de Quebecor World L'Éclaireur,
Saint-Romuald (Québec).